Fulgor

Alma Mancilla

Fulgor

saltodepágina)¶

SEGUNDA EDICIÓN

© Alma Mancilla, 2022
© Malpaso Holdings S.L., 2022
C/ Diputació, 327, principal 1.ª
08009 Barcelona
www.malpasoycia.com

ISBN: 978-84-18546-92-1
Depósito legal: B-3271-2022
Primera edición: marzo de 2022

Impreso en México por Litográfica Ingramex, S. A. de C. V.
Maquetación: Joan Edo
Diseño de cubierta y colección: Triste Estudio

...Y se internaba en la zona de luz como un pez en el agua.

ARMONÍA SOMERS

Del fulgor de su presencia ascuas de fuego se encendieron.

SAMUEL 22:13

I

El brillo por todas partes. Blanco arriba, luminosidad de hueso. Claridad de pedernal. Desde el espacio donde hemos estacionado el coche veo la cabaña del vigilante, que parece tallada en la falda del cerro, pegada a él como una escrófula o una costra de cal. Está envuelta en una especie de verdor terrible, casi una bruma; el sol es de una blancura que me provoca ardor en los ojos y me obliga a no mirar. Detrás del resto de las cabañas, entre las que se cuenta aquella a la que nos dirigimos, el bosque es denso, apacible. Los árboles más cercanos al complejo trazan sus siluetas contra un seto de hierba crecida donde zumban las moscas; en el espacio que separa el auto de la entrada no se proyecta, en cambio, ni una sombra, solo las nuestras, vastas, informes, dos monstruos jorobados que invaden con su impedimenta aquel lugar tranquilo, vacío excepto por nuestra presencia discordante.

El fin de semana hay gente, pero de lunes a viernes todo esto es tuyo, eso me ha dicho Josué, y yo le agradezco esa concesión a mi temperamento solitario, ese callado respeto a mis circunstancias de gata arisca. No traigo muchas cosas conmigo: una mochila con algunas mudas de ropa, un par de zapatos, la computadora portátil y algunos libros. Pizarnik, Camus, Machen, un diccionario de etnografía. Algunos lápices y varios cuadernos. Lo indispensable para sobrevivir y llevar a cabo de la mejor manera posible la tarea que vine a realizar. No hay internet aquí cerca pero tampoco espero necesitarlo. Si así fuera, hay una pequeña biblioteca y un cibercafé en la cabecera municipal. Para llegar a ella hay que bajar primero al pueblo por un camino de tierra que bordea el bosquecillo y, una vez allí, de nuevo, hacer un trayecto de una media hora en autobús. Pero eso tampoco está tan mal. Pienso en Margaret Mead, a quien la separaba de Inglaterra un océano. En Malinowski, que se quedó varado en las islas Trobriand durante toda una guerra. A nosotros apenas nos ha llevado un par de horas conducir desde la ciudad por una carretera tortuosa, llena de recovecos, atravesando a ratos milpas y a ratos tramos de bosque cerrado, delimitado en partes por lo que, desde la distancia, parecían campos de cruces. Es por los atropellados, por supuesto, aunque en algunos tramos eran tantos que aquello me hizo pensar en un cementerio, un camposanto al aire libre al que de vez en cuando vinieran a dejar flores los deudos. Nunca he entendido eso de las flores; los muertos son muertos, dijo Josué cuando lo comentamos. Le aclaré que en realidad las flores son para apaciguar a los que se quedan, uno no tiene que ser antropólogo para saberlo.

Parece una buena persona, Josué. Frente a la puerta de la cabaña lo miro depositar en el piso el pequeño tanque de gas que carga al hombro. Sus manos son grandes y hábiles y sacan del bolsillo de sus jeans un manojo de llaves que tintinean y del que extrae una con la que se dispone a abrir el pesado candado que cierra la puerta frontal. Es pesada, de tablones lijados, sin barnizar. De su centro, en la parte superior, cuelga un ramo de florecillas marchitas, de esas que crecen de manera salvaje en el campo. Un par de telarañas se balancean en el vano cuando al fin, y no sin esfuerzo, logramos abrirla a empujones. Ya las quitaré más tarde, sin falta; todo lo que tenga muchas patas, teja un nido o se arrastre por el suelo me da pavor, no quiero favorecer la incubación de ninguna alimaña.

El interior en sombras de la cabaña es una boca oscura que nos devora de un tirón, como si nos succionara. Se nota que, tal como me advirtió Josué, hace mucho que no viene nadie: el olor a humedad es intenso, concentrado, casi feral. Está amueblada con discreción, por decir lo menos: una mesa, un par de sillas, un sillón de mimbre con algunas varas sueltas y un cuadro con un marco de arabescos dorados que pende de un muro encalado. En los cuartos, dos en este caso, las camas parecen limpias, pero una rápida mirada al costado revela un aluvión de bichos muertos, enroscados sobre sus vientres, tal vez hace no mucho todavía agonizantes. Es porque la señora que limpia ha fumigado este fin de semana, me aclara Josué. Ya sabes, porque venías. Sospecho que decir «limpiar» es una exageración, al igual que decir «este fin de semana», pero no soy quién para ponerme a discutir. La limpieza nunca ha sido mi punto fuerte de todas formas, y siempre he sido capaz de sobrevivir a la perfección en ambientes precarios, sin tener que sacar la basura todos los días, y no me importa en absoluto tolerar una buena capa de polvo a mi alrededor. Nada de alergias ni de esos males de gente puntillosa.

Es parte de los servicios del centro campestre, me dice Josué mientras, con unas pinzas y una habilidad que me deja pasmada, termina ya de instalar el tanque de gas en la toma de la cocina. Le agradezco que lo haga porque de lo contrario tendría yo que arreglármelas con leña, y eso sí que es más de lo que puedo manejar. Por mi parte, dejo la mochila que llevo a la espalda en el piso, tirada de cualquier forma, pero me arrepiento de inmediato ante la visión de algo oscuro que se acerca por el borde del muro, justo en mi dirección. Corro y la levanto por las asas de un tirón, haciéndome de paso daño en el hombro. Quién sabe qué podrá metérsele dentro si no tengo cuidado. Quién sabe qué clase de vida reptará por estos rincones, salida de las colinas para invadir sus laberintos oscuros. Es, en este caso, un alacrán, pequeñito, muy negro. Lo piso sintiendo que los dientes me rechinan.

Tras una rápida mirada alrededor en busca de un mejor sitio donde dejar mis cosas me decido por la barra de la cocina, que al menos tiene la ventaja de ser alta y, por esa sola razón, se me figura más segura que todo lo demás. Puede que no sea lo más higiénico, eso es cierto, pero ya la limpiaré después. Todo lo haré después; instalarme, desempacar, tomar posesión de los alrededores. Lo único que saco en este momento son mis pastillas: fluoxetina, citalopram, clonazepam, algo de Valium, un coctel eficaz, suficiente para mantener a raya la locura o lo que pueda presentarse. Las dejo dentro de la habitación, sobre la mesita de noche, perfectamente a la vista; estaré sola, no hay necesidad de disimular. También dejo ahí el teléfono celular. Lo he traído conmigo por costumbre, porque, igual que a todos los de mi generación, me cuesta trabajo desprenderme de su incesante tutela. No cuento con poder usarlo más que como despertador cotidiano, y para las grabaciones, por supuesto. Aquí arriba, ya se me ha avisado, casi nunca hay señal, no la habría ni subiéndose al techo de la cabaña o escalando la cima de alguna colina, y yo no pienso intentar ninguna de esas dos proezas.

Procuraré bajar una vez por semana a la cabecera, desde donde podré enviar los avances a mi supervisor y noticias a mi madre. A ella la he llamado hace un rato, desde la gasolinera, solamente porque se lo prometí. Como de costumbre, ella se

-----

encargó de recordarme que estoy frágil. Que tuve que ser llevada al hospital. Que lo que me pasó es, tal vez, un signo de algo más grave. Las señales que preceden a la tormenta. La histeria, como ella insiste en llamarla pese a que todos los médicos le han dicho que ese término ya no lo usa nadie: Te pusiste histérica, Eva, gritabas como una loca. Mientras hablábamos frente a mí pasó un coche lleno de niños, sus caras pequeñitas pegadas al vidrio, uno de ellos con la lengua fuera, como una víbora ponzoñosa. Un tráiler subía por la cuesta exhalando un rugido ominoso. En el fondo, mi madre no me perdona que no me haya convertido en lo que ella fue, que no sea una mujer unida a un hombre con un papel de por medio, que no piense, ni por asomo, en casarme o en pagar una hipoteca. Que se me ocurra venir a quedarme así, sin compañía, en un lugar tan remoto.

Es una locura, Eva, no deberías estar allá, no tú, no sola, no ahora. La voz de mi madre me obligó a mirar mis manos delgadas, sudorosas, mi rostro como el de una niña vieja en el reflejo del cristal del coche, mis ojeras pronunciadas, que no son las que corresponden a una mujer joven y saludable como lo debiera ser yo. La enfermedad que se nos esconde en la cabeza es la más hostil de todas las afecciones, la que más rápido nos expulsa del mundo circundante, la que más nos convierte en algo que se parece a los zombis. Mientras pensaba en qué contestarle a mi madre, y con las pupilas fijas en mis propias pupilas en el reflejo de la ventanilla del coche, sentí cómo se encorvaba mi espalda y cómo se encorvaba mi mente, como si a mi alrededor el cielo se viniera abajo igual que una pesada losa de cemento o de metal. Al final, no pude sino abrir los labios para musitar: Mamá, no soy una niña, hace mucho que dejé de serlo. Y no tienes de qué preocuparte. Yo sé cuidarme, voy a estar bien. Colgué en cuanto escuché que ella empezaba a sollozar, sintiendo ya que le había contado una mentira. Yo no tengo la culpa: las lágrimas de mi madre son cuervos que vuelan a través del alambre, aves rapaces que atraviesan las distancias. Sus lágrimas son gritos que siempre me consiguen alcanzar.

Después de aquello, Josué y yo nos comimos un par de elotes en el puesto de junto. Eran grandes, amarillos, cubiertos de una gruesa capa de mayonesa de la que aún siento el regusto salado y grasiento en la boca. Mientras esperábamos a que los prepararan vi venir por la carretera una carreta blanca, subiendo como un extraño mamut que se arrastrara sobre el asfalto. En el interior iban dos mujeres que también vestían de blanco y miraban al frente con solemnidad de campesinas bávaras, de gente de otra época. Blanca la nieve, blanco el sol, blanco el llanto, pensé. Parecían menonitas, pero estoy segura de que por esta región no los hay. Busqué a Josué para preguntárselo, pero este se había levantado y caminaba con porte de *dandy* rumbo a los baños. Me dirigí entonces a la señora que preparaba los elotes, pero ella estaba ya ocupada con otro cliente y no me prestó atención. Las mujeres me miraron al pasar, de reojo, sin girar la cabeza, como si aquel movimiento les estuviera prohibido. Yo las miré a mi vez, con curiosidad, pero con disimulo, esbozando apenas una sonrisa que ninguna de ellas me devolvió. Seguí mirándolas con esa sonrisa boba en los labios hasta que la traqueteante carreta se perdió en la espesura y desapareció detrás de un muro natural de árboles.

¿Estás segura, Eva?, me dice Josué, interrumpiendo mis recuerdos. Puedo quedarme si quieres. Estoy segura, ya lo creo, le digo yo. Tú mismo has dicho que no me pasará nada, que se puede confiar en este lugar. Me parece extraña la expresión: uno confía en las personas, no en los espacios, no me parece que esa sea una forma correcta de expresarse. Josué se encoge de hombros y no insiste. Es guapo, un poco pasado de peso si acaso. Tiene un lunar grande en el pecho, se lo he visto por encima del cuello de la camisa. No me gusta ese lunar; parece una cucaracha, y se me ocurre que en la intimidad debe asemejarse a un diminuto ojo que te mira desde el interior de un bosque de pelos. No me he acostado con Josué, nada de eso. Él no me lo ha pedido, y es probable que sepa que de todas formas yo no lo dejaría tocarme. No hoy, no esta noche, al menos. Que soy, como ya deben haberle dicho, un caso perdido. No un modelo de castidad sino una mujer con la cabeza en las nubes, alguien extraviado en cosas que no le importan a nadie. Que tendría que conquistarme o forzarme para poder lograr su cometido, y presiento que Josué no es, de todas formas, de los que están dispuestos a llegar a esos extremos.

En realidad, no somos muy amigos, Josué y yo; ahora que lo pienso, apenas nos conocemos. Cruzamos algunas palabras en aquel bar la otra noche, las suficientes, sin embargo, para que aquello pareciera una conversación. Fue ahí donde le hablé de mi proyecto. Donde le hablé de mi necesidad de venir aquí. Él me ofreció esta cabaña, tal vez por compromiso, o por tener algo interesante que decirnos. Se me ocurrió que habría detrás del ofrecimiento alguna segunda intención, pero, para ser justos, no he notado que Josué me mire con lascivia ni una sola vez. Tal vez no le gusto lo suficiente. Suele sucederme; no soy de las que impresionan a la primera. También puede ser que él tenga otras preferencias. Me da algunas instrucciones más, algo sobre los garrafones de agua, sobre los contactos de luz, sobre el baño, que es común y está en la cabaña central. Solo hay agua caliente por las mañanas, así que estoy avisada. Me deja anotado un teléfono en un papelito arrugado que coloca al descuido sobre la encimera. Es para las urgencias, aunque tal vez no sirva de gran cosa si uno no tiene desde donde llamar. Me imagino que el vigilante tendrá uno de esos *walkie-talkies*, o una radio, algún aparato que permita conectar con el exterior.

Suerte con tu trabajo, Eva, remata Josué. Si necesitas algo se lo pides al vigilante. Me planta un beso en la mejilla y cuando escuchó la puerta que se cierra a sus espaldas sé que Josué se ha llevado consigo la última traza de presencia humana en muchos metros a la redonda. Sé que se ha llevado lo humano de esta casa, por lo menos. Detrás de la puerta, ahora lo veo, hay una pequeña cruz de palma y una oración a la Magnífica, y por un instante pienso en retirarlos, aunque al final no lo hago; el que los puso allí debió pensar que le protegerían de algo, y yo siempre he pensado que respetar los miedos ajenos nunca puede venir mal. Yo no tengo miedo, no demasiado. No obstante, echo el pasador de todas formas, solo por precaución.

No es que la noche esté cerca, todo lo contrario: por la ventana de la cocina el sol sigue entrando, despiadado y postrero. Aquí estás, pienso. Ha empezado. No estoy segura de a qué me refiero, no sé qué es lo que va a empezar. La luz me da de frente cuando me acerco a la ventana para mirar a Josué, que sigue allí afuera y se gira una vez más para decirme adiós con la mano, su silueta oscura, su rostro indistinguible a contraluz. Se aleja hacia el auto renqueando ligeramente, como si se acabara de lastimar el pie o como si la tierra ardiera bajo sus pasos firmes y largos. Caminar aquí será, pienso, como caminar sobre un terreno de lava. Andar sobre piedras que arden. Entonces vuelvo a ver la carreta blanca. Sube en este momento por el camino, avanzando despacio con su chirriar de ruedas de otro tiempo. Las dos mujeres están tan erguidas como antes, sus rostros pálidos y sin expresión. Un súbito temor me atiza de pronto la columna, el fuego blanco de la ansiedad que sube y me alcanza como una serpiente que, dentro de su agujero, se desenrosca y se apresta a morder de un tirón.

Pero ya me ha pasado antes, conozco la sensación. Sé, y de sobra, lo que hay que hacer. Corro a la habitación, tomo uno de los frascos y saco una pastilla, sé perfectamente cuál. Es roja, grande; me la trago con lo que queda de la botella de agua del camino. Está tibia, pero igualmente la siento bajar por mi garganta con un golpe de frío que es a la vez un súbito dejo de alivio. Respiro profundo una, dos, tres veces, como me ha enseñado a hacer el doctor. Cuando vuelvo a la cocina me asomo de nuevo. La carreta ya no está; solo el auto de Josué, que se aleja por el camino en el mismo sentido por el que vinimos. También es blanco, y va levantando a su paso una nube de polvo muy fino que sube y se deposita sobre el capó refulgente, tan brillante bajo la resolana de la tarde que los ojos me lagrimean al verlo. Los entrecierro para no llorar.

2

La cabaña es una de cuatro en este pequeño complejo campestre al pie del monte, en la linde del bosque, con la caseta de seguridad a la entrada. Se trata de uno de esos sitios pensados para una visita breve, unos días a lo sumo, y siempre bajo la consigna de que, pese a encontrarse en pleno campo, uno no se ha alejado demasiado de la ciudad. El lugar es rústico, pero eso no significa que deba dejarse de lado la seguridad, ignorar el estado de peligro de las cosas circundantes. Es lo mínimo que cualquier familia pediría, por no hablar de una mujer sola, especialmente si es joven. La soledad no es una buena compañera, no en estos tiempos, no es un país así. La presencia del vigilante, un hombre adusto, pasado de peso, contratado para anotar quién entra y quién sale del complejo es la garantía de permanencia de un orden mínimo, la posibilidad, aunque sea pequeña, de mantener a raya al caos que impera allá afuera. Me pregunto qué pasaría si un grupo de hombres armados, como esos que con tanta frecuencia se ven en la televisión, en el cine o en las noticias, irrumpiera de pronto aquí, con sus camionetas, sus armas y su violencia a cuestas. Me pregunto también qué se esconderá entre los cerros. Uno nunca sabe qué espanto se ocultará bajo la tierra que se pisa.

Lo miro desde lejos, al vigilante, y a través de la ventana alzo la mano en un intento de saludo, un gesto de amabilidad que es, a la vez, una forma de reconocimiento, la aceptación de nuestro parentesco y de nuestra mutua vulnerabilidad, pero pese a que él también parece estar mirando en mi dirección no hay respuesta alguna de su parte. Es como si yo no existiera, o como si él fuera tan solo una pantalla, un montón de carne vacía o un maniquí. Un cuerpo que se ha dejado olvidado para que se pudra bajo el calor del mediodía. Tal vez esté dormido con los ojos abiertos. No me sorprendería, no con el calor que debe hacer dentro de ese cubil al que los rayos del sol bañan a perpetuidad.

Aquí dentro, en la cabaña, el ambiente está fresco. He abierto todas las ventanas y me he pasado el resto de la tarde limpiando. Como lo esperaba, había en los rincones más basura de la que se notaba a simple vista, demasiada incluso para mí. Tierra en su mayoría, pedazos de hojas secas, insectos, plumas, elementos de lo orgánico, piezas de la anatomía de algo que un día por fuerza tuvo que estar vivo. Pero no me puedo quejar. El alquiler me ha salido muy barato porque Josué conoce a los dueños, gente que antes era asidua al campo y ahora, al parecer, prefiere el bar donde él y yo nos conocimos, o algo así entendí. Desde la ventana de la cocina se ve a lo lejos el volcán, nevado en la cumbre, una de esas vistas que uno encuentra reproducidas en los cuadros que se exhiben en algunos museos locales, una instantánea que por lo visto ha impresionado en su momento a todos y cada uno de los pintores célebres de la región. Yo misma nunca he subido, aunque de vez en cuando se sabe de turistas que se pierden allí arriba, alpinistas demasiado confiados o inexpertos visitantes de ocasión.

Me recuerdo que yo no he venido a hacer turismo, ni tampoco a pintar. Las cabañas han sido mi elección debido a su ubicación, tan cercana al pueblo en el que debo recabar información de campo. Esa es mi tarea. No la he escogido yo; ha sido sugerencia de mi supervisor, que junto con su bendición me dio la carta de presentación que necesito para entrar allí sin ser vista con suspicacia. En estos tiempos, ninguna precaución está de más. Cuento también con algunos nombres, una lista de personas que me abrirán las puertas y me permitirán hacer otros contactos, encontrar la hebra del hilo del que podré empezar a tirar. Mi supervisor, un antropólogo medianamente conocido, trabajó alguna vez en esta zona, eso lo sabe todo el mundo. De eso hace muchos años, así que supongo que los vínculos persisten, que uno va dejando huella al pasar, incluso cuando ese tránsito sea efímero.

En realidad, habría debido quedarme con una familia, allí abajo, habitar entre la gente a la que vengo a investigar. Convivir con los nativos. Eso es lo que se esperaría de cualquier antropólogo respetable, aunque yo, en rigor, todavía no lo sea. Pero ni yo tengo las fuerzas para hacerlo ni mi supervisor ha querido insistir. Basta con que esté aquí y ya, con que haga el esfuerzo. Debí haber completado este trabajo hace meses, pero el comité académico me ha otorgado un plazo más que razonable, una prórroga que solo se justifica dadas mis penosas circunstancias. Solo se espera de mí que sea capaz de producir una etnografía sencilla, que me permita a mí validar el año escolar y a la universidad dejarme ir sin sensación de culpa. Que legitime mi presencia y mi ausencia por igual. Que acalle los chismes, si es que hay alguno. Embarazada en las aulas, desembarazada en los baños, el piso cubierto de jugo amniótico, de sangre neonatal. De vergüenza de papel de baño manchado de excremento. Me consuela pensar que, de todas formas, a ese niño yo no lo pedí. Me consuela pensar que hay cosas que suceden, las provoque uno o no.

El inicio de aquel embarazo, fruto de una relación casual, me tomó tan por sorpresa como el hecho de verlo terminarse tan de pronto, tan así como así, justo como el accidente del que en realidad se trató. Lo realmente escandaloso es que ocurriera con un maestro. No, no lo culpo, él no abusó de mí. Yo no digo que esas cosas no pasen, una se entera todo el tiempo: chicas engatusadas por sus entrenadores, sus maestros, gente en la que pensaban que podían confiar. Lo que quiero decir es que, al menos en este caso, no tengo la impresión de que él haya impuesto sobre mí eso que llaman su figura de autoridad. Nunca se lo dije a nadie, eso sí, no por vergüenza o por coerción, sino porque no me parecía necesario. Yo no era nadie, él era apenas un poco más. En realidad, me costaba ya trabajo reconstruir nuestro primer encuentro casi al instante mismo de que este hubiera tenido lugar, como si los eventos, de tan nimios, se desdibujaran al mirarlos. Al final, fue una relación entre tantas, con la diferencia de que aquel con quien salía aquí era él, un profesional, un hombre casado, con un título y un lugar en la jerarquía de la academia. Con la diferencia de que esta vez erramos el tiro, o todo lo contrario. Ni siquiera hubo de por medio alcohol o drogas, algo que justificara el embotamiento, el descuido o la dispersión. Pero esas son cosas que pasan, como dicen por ahí. Cuando me di cuenta era demasiado tarde, aunque todavía no sé para qué. La gente suele pensar tanto en los plazos, en los objetivos. En no dejar que las cosas se salgan de control, en que hasta las aguas del río más turbulento se mantengan siempre dentro de su cauce. Él (no diré su nombre, no tiene sentido hacerlo) pidió una licencia cuando empezaron los rumores, y yo también pienso que fue mejor así. Ningún hombre me ha tocado desde entonces. Soy veneno desde que me vacié del tumor que él me sembró. Mi vientre herido y, por lo tanto, emponzoñado, es la tierra yerma y estéril de la que todo lo que está vivo se aleja. Tal vez ese niño no era de nadie. Tal vez a ese niño solo lo concebí yo.

Paso al baño, donde suelto al fin la orina que llevo horas reteniendo. Escucho al chorro dar contra la losa del inodoro mientras contemplo la enorme araña que me mira desde donde el muro hace esquina con el techo. Sus ojitos cargados de espanto me conmueven. Cuatro pares de ojos para una sola cabeza sorprendida. Patas que multiplican el callado horror de arrastrarse por el mundo arriesgando la vida a cada paso. El inodoro está casi vacío excepto por el charco amarillo oscuro, casi marrón que acabo de depositar allí dentro como una ofrenda apestosa. Es preciso, en cada ocasión, echarle agua de un grueso bidón azul que el vigilante se ocupa de llenar cuando es necesario y que ahora mismo está al límite del nivel en el que alguien tan bajita como yo puede tener acceso sin correr peligro de caerse dentro. Dos cubetas más y tendré que tirarme de cabeza, nadar en esas aguas para sacar un balde medio lleno y ayudar, así, a evacuar de aquí la podredumbre. Pruebo a lavarme las manos en el lavabo y, contrario a mis expectativas, de la llave sale un chorrito que, aunque al principio tiene un tinte cobrizo, casi enseguida vira al transparente más claro. Sonrío, satisfecha. No se necesita más que un hilo de agua limpia para sacarse de encima la mugre. Aquí dentro huele a azufre, a cloro, ligeramente a tubería. Alguien ha colgado de un clavo un pedazo de espejo; es triangular, con una grieta, terminado en punta. En él me miro largo rato, una mujer a medias, un ojo y una boca y una nariz retorcida en un ángulo extraño. Un cuadro de Picasso o una fantasía de El Bosco.

En el camino de vuelta a la cabaña constato lo que ya sé: por ahora soy la única habitante del complejo campestre. Las puertas de las otras tres cabañas, todas más grandes y en mejor estado que la mía (de alguna forma tengo que llamarla), están firmemente cerradas con cadenas y candados, son minúsculas fortalezas a las que nada perverso entrará. Más allá de la zona de las mesas el camino asciende hasta un prado donde hay unos columpios y una canasta oxidada para jugar al baloncesto. Todo está en mal estado, supongo que no se usará con frecuencia. El sendero que de ahí parte se pierde entre los árboles, cuyas copas se agitan al viento y contienen, entre todas, la gama completa del verde y del gris. No es esa mi ruta, la que he de seguir mañana cuando vaya a hacer mi visita inicial al pueblo. Pero ese otro camino he de explorarlo también, a su tiempo.

Hoy no. Hoy me contento con escudriñar la madriguera, con ser el animal que toma posesión de cada rincón de su caverna. Mi ropa, toda en colores prácticos, en materiales fácilmente lavables (un pantalón, tres camisas), pende ya de los ganchos del armario empotrado en la pared. Mis botas esperan listas al lado de la puerta, pegadas al muro. No son nuevas, yo no cometería un error así. Para comer el día de hoy he traído pan y jamón, que mantengo en la nevera portátil que me ha dejado Josué. Hay un pequeño frigorífico, pero al abrirlo suelta un hedor putrefacto. Es lo malo con estos aparatos: basta con que se los deje de usar un tiempo para que sucumban a su propia descomposición. Me he prometido lavarlo más tarde, o en estos días. Por lo pronto, lo dejo abierto para que el aire nuevo se lleve el aire viciado y el aroma a estancamiento. Observo los diversos cacharros encima de la pequeña estantería: una sartén, un comal, un par de coladores y una cacerola de peltre a los que, al menos, han tenido la atención de quitarles el polvo. Soy mala cocinera, no creo que los utilice en demasía de todas formas.

Mientras me como mi sándwich sentada en el sillón de mimbre del pequeño salón, observo con cuidado el enorme cuadro que pende de la pared. Es un paisaje, probablemente de esta región. Lo digo por el bosque que, aunque parece solo sugerido por algunos trazos, es oscuro y tupido. Una mujer, de pie en el centro del lienzo, aparece rodeada por lo que al principio tomo por un coro de ángeles. ¡Ángeles en el bosque! Eso sí que sería raro. Pienso en diminutas divinidades con alas, en querubines como moscas. Solo al mirar con más atención descubro que son pájaros, aves de rostros extrañamente geométricos, casi cuadrangulares, infinitos ojos amarillos que destellan en la oscuridad circundante. ¿Por qué rodean a la mujer de esa forma? ¿Son un buen o un mal augurio? Es de noche en ese bosque, no hoy, sino para siempre. Las cosas en el arte son siempre eternas, un instante que es también una prisión.

No me gusta ese cuadro. Algo en él me parece remoto y malvado. En cuanto termino de comer intento descolgarlo y, al despegarlo del muro, brota de detrás del lienzo una araña enorme que se deja caer al suelo y corre por ahí a esconderse. Dejo el cuadro volteado, bien apoyado sobre la pared, y limpio los restos de telarañas que podrían invitar a que algo más se instale ahí arriba. La araña no está por ninguna parte; buena suerte para ella y mala suerte para mí. Dispongo la única mesa a modo de escritorio, la muevo y coloco todo en el ángulo y posición en los que me gusta trabajar: la ventana al frente, el salón detrás. Anotó en una de mis libretas la fecha, no sé para qué. Es lo que debo hacer, supongo. Escribo: *Todo lo que vive se muere. Todo lo que no ha nacido también ha firmado ya su rendición. Lo que había en mi vientre no tenía padre. Todo lo que no tiene padre no existe.*

El médico dijo, al atenderme, que era preciso devolver las cosas a su justo lugar. ¿Cuál es ese lugar? ¿Cuál era el punto de partida o de inflexión al que intentaba devolverme? No se preocupe, no ha quedado dañada de manera permanente. Con el tiempo, podrá volverlo a intentar. Escribo: *Todo lo que se siembra en la duda está condenado a morir.* Vuelvo las hojas de mi libreta en reversa, frenéticamente. En la primera página, que he dejado en blanco a propósito, anoto al fin: *Apuntes de una histérica que recorre el mundo en los días que están por venir.* Apuntes de la madre de un niño muerto. Apuntes de la que fue y vino, de la que vino y se fue. Notas de la que escapó. Un rato más tarde la cierro de un tirón, ya es suficiente por hoy. Me estiro para agarrar el cable del foco, que desde aquí abajo distingo todo cubierto de cagarrutas de mosca. Apago la luz. Apago todas las luces. Me hundo en la tiniebla.

Por la ventana de la cocina solo se ve ahora un pequeño rectángulo amarillo, el de la cabaña del vigilante, un único ojo acuoso que atento vigila la noche. O eso espero, al menos. Debo confiar en que así sea. El resto del paisaje, el de detrás, el del entorno de las cabañas, es negro y de una consistencia extrañamente coloidal. Es porque las ramas se mueven, porque el bosque parece vivo y anhelante. Me cambio de ropa y, ya en el cuarto, me doy cuenta de que no he cambiado la sábana aún. El colchón está cubierto de grandes manchas amarillentas, quién sabe si de sangre, de sudor o de orina. Por supuesto que he tenido la precaución de traer ropa de cama limpia, y extiendo mi sábana y mientras la acomodo de manera meticulosa, como si con eso pusiera entre mi cuerpo y esa suciedad antigua una inquebrantable capa de protección, una fina membrana que mantendrá a raya lo indeseable. Antes de meterme al fin en la cama me tomo mis pastillas, las que preciso a esta hora en la que todo es proclive al delirio febril y a la alucinación. Se escuchan chicharras a lo lejos, y arriba, sobre la casa, un aletear de aves. Me cubro la cabeza con la única manta para poder dormir. El sueño viene, por fortuna. El sueño: ese reparador de todos los males. El sueño: ese implacable devorador.

3

Es el primer día antes de lo que vendrá. Así, como en esas frases de corte inspiracional: es el primer día del resto de tu existencia. El mañana es hoy. *Carpe diem.* Lo que tienes a tu alrededor es un universo recién parido, el paraíso en el que tú apareces de repente, larva envuelta aún en la baba primordial. Carne de la carne surgida. Me bebo un yogur, despacio y en silencio, como para no perturbar la paz de los bacilos. Me como una manzana que me sabe dulce, pulposa, más como un melocotón. Lo hago todo sin demasiada prisa, al fin y al cabo, a lo lejos apenas está amaneciendo, tengo todo el tiempo del mundo. Lamento no haberme traído una grabadora, unos cuantos CD. Tarareo una vieja canción de los Beatles, algo que viene de un tiempo que en realidad no me tocó. Pero la canción se va poco a poco deshilachando, no recuerdo más que algunos fragmentos, no los suficientes para darle estructura y hacer que suene bien.

Sigo con atención las transformaciones de la luz; tras tan solo unos minutos ya hay suficiente a la distancia para que parezca de día: los cerros han aparecido como por arte de magia, y los contornos pesados y angulosos de las cabañas, antes hundidos en la penumbra, van empezando a distinguirse como iluminados por un fuego repentino. En cuanto el camino es distinguible a la distancia me levanto y me decido a salir: me pongo las botas y emprendo primero una rápida exploración de los alrededores. Un reconocimiento. Pero no hay mucho que ver ni que reconocer. Me pregunto qué hacen los que vienen acá a pasar las vacaciones, o el fin de semana, qué, además de sentarse a contemplar el verdor implacable de los cerros. No me parece que el espectáculo sea poca cosa; es solo que desconfío de la general capacidad que tenemos para apreciarlo. La belleza, como la fealdad, ya se sabe, siempre está en el ojo del que mira.

Encuentro, detrás de las cabañas, un arroyo muy pequeño, con apenas agua suficiente como para ser digno de ese nombre. Aun así, en sus entrañas se agitan pequeñas larvas transparentes, gusarapos minúsculos que agregan movimiento al movimiento del agua. Una ardilla muerta se pudre entre las rocas adyacentes, con los ojos abiertos, fijos en un último instante de terror animal. Un pajarito se ha caído del nido y allí yace, despanzurrado, su globo ocular amoratado por detrás de un párpado de grosor infinitesimal. Cuántos pequeños mundos se colapsan a diario. Hablando de aves: busco por todas partes, con la vista y el oído, a aquellas que escuché ayer por la noche. Ahora se me ocurre que tal vez eran cuervos o urracas, por la intensidad del aleteo y por el fervor de sus gritos. Pero tampoco sabría decirlo. Mis conocimientos de ornitología son precarios, y aunque supiera más de lo que sé mis intentos sucumbirían ante la algarabía matinal de trinos, esa cacofonía que parece hacer parlotear a los árboles.

Vuelvo a la cabaña por el resto de las cosas que necesitaré, y no son ni las nueve cuando emprendo el camino al pueblo. Es media hora a buen paso, pero mi calzado es adecuado, sé a lo que he venido. Nada de tacones altos o sandalias. Agua suficiente para hacer soportable la caminata, pero no tanta que haya que orinar a campo abierto. Un sombrero grande, de ala ancha, que deja pasar, sin embargo, pequeños puntos de luz que hacen que mi piel parezca salpicada de diminutas estrellas. Quizá deba amarrarme un pañuelo encima, como las mujeres que van a la playa. Pero yo no voy a la playa, no desde que era niña. Las conchas, los moluscos, todo eso que viene del mar me resulta ajeno, incluso ligeramente hostil. Acá, por fortuna, no es esa cualidad acuosa lo que prima. Los elementos imperantes, si alguno hubiera, tendrían que ser tierra, fuego, roca primordial. Formaciones que deben haber surgido en el Precámbrico, en el Devónico, al mismo tiempo que los eucariontes y procariontes, antes, mucho antes de que el primer homínido se irguiera sobre sus extremidades y partiera a dominar el entorno.

No me topo con nadie en todo el trayecto, y espero que siga siendo así. Disfruto de esta soledad hecha de una pasta seca, rompible, armada de la tierra amontonada al lado del camino en pequeños montículos que parecen ser producto de una voluntad consciente, aunque yo sé muy bien que son solo fruto de la casualidad. Voy recitando unas líneas de mi poema favorito de Pizarnik, el de la niña con un vestido azul que canta una canción dentro de la cual habita un corazón verde y tatuado. No me lo sé completo, pero me acuerdo de las líneas importantes, como si una vez que una ha asido el centro de algo los contornos resultaran irrelevantes.

Un cuarto de hora más tarde lo veo ya a lo lejos, el pueblo, una costra oscura y fea en el cuerpo verde del monte. Es insignificante salvo por la torre de la iglesia, que se alza sobre el resto de las casas enarbolando su cruz como una bandera de batalla. Del cura no traigo el nombre, y de todas formas no estoy segura de querer entrevistarlo hoy mismo, ni tampoco de tener tiempo suficiente antes de volver a las cabañas. Una de las desventajas de mi situación es que si he de estar de regreso antes de que oscurezca tengo que empezar temprano y terminar a buena hora, porque no tengo ningún deseo de encontrarme sola y a oscuras en medio del monte. Pero por ahora no me preocupo. Ayer noté lo mucho que tarda en oscurecer acá en verano, como si estuviéramos en un país nórdico. Ahora mismo parece ya que el sol pega de frente, aunque en realidad se encuentre aún en el este, una corona amarilla que evito mirar de miedo de quedarme ciega, como cuando se observa a ojo descubierto un eclipse.

El nombre del pueblo es una mezcla del de un santo con algún vocablo ancestral, prehispánico, una toponimia que se refiere a los cerros, como casi todas por aquí. El letrero que lo anuncia está allí, a la entrada, entre magueyes y piedras. Desciendo por el camino y, ahora sí, sé que he llegado a un lugar habitado porque enseguida me topo con los lugareños, que van y vienen por las calles, a esta hora y probablemente desde hace mucho. Ya se sabe: la gente en los pueblos siempre se levanta temprano y anda activa todo el tiempo; es ese un lugar común pero no por ello deja de ser cierto. Me parecen amables, bien dispuestos, acostumbrados a que de cuando en cuando alguien venga y se interese por su peculiaridad lingüística, por la fiesta de su santo patrono, por los colores que usan para teñir sus faldas, por el significado de sus costumbres. No quedan muchos pueblos indígenas en esta zona, así que la gente como yo por fuerza tiene que venir a asaltarlos en masa. Me imagino que, como en todas partes, cada vez serán más los lugareños que prefieran hablar en español. Que cada vez más esto que tengo enfrente será semejante a un cuerpo que se está muriendo. Que, si no tenemos cuidado, lo que hoy es análisis *in situ* mañana será una autopsia en regla.

El regidor me recibe en un cuarto que hace las veces de oficina y responde a mis preguntas con cara de aburrimiento.

Apenas le echa una mirada a mi carta de presentación, pero parece aliviado cuando le digo que solo me quedaré un par de semanas, y que ninguna de esas noches las pasaré aquí. Le pregunto si conoce las cabañas. Sí, las conoce, aunque claro, él nunca se ha quedado en ellas, eso es para gente que viene de fuera, de la ciudad, gente justamente como yo. Personas que no tienen idea de las cosas que vuelan en el monte. ¿Ha dicho eso? ¿Las cosas que vuelan en el monte? Estoy por preguntárselo, no estoy segura de haber entendido bien, pero dos mujeres entran en ese momento deprisa, con cara de que se trata de una urgencia. En efecto, a alguien se le ha perdido un borrego, y es preciso ir a mirar, ocuparse de ciertos menesteres. Me despido con cortesía, porque no quiero ser una molestia. Vuelva cuando quiera, me dice el regidor, y suerte con su tarea. Con su tarea, así, como cuando una va a la escuela elemental.

Afuera, el sol está ya en el cenit. No quiero quedarme allí, ardiendo a la vista de todos, desprotegida como un reloj de sol en la pequeña plaza principal. Por fortuna la casa de la primera familia a la que debo visitar está a pocos metros, en una calle empedrada paralela a la iglesia. Hacia allá me dirijo proyectando sobre las paredes de las casas del pueblo una sombra oblicua que se me antoja demasiado larga para ser la de alguien como yo. El portón de la casa es verde, metálico, parece recién instalado, algo que no cuadra con el muro de adobe de la estructura original. Del segundo piso, todavía en obra negra, se asoman unas varillas con listones amarrados, rojos, verdes, la mayoría ya descoloridos, como para una fiesta que se celebró mucho tiempo atrás. Cuando papá murió mi madre ordenó que se colgara de la puerta principal un listón como esos. Era negro, desde luego, y se quedó allí mucho tiempo, como si mi madre pensara que al quitarlo profanaba la memoria del difunto. Un festón negro como las cosas más negras que uno guarda dentro.

Toco dos veces con los nudillos en el zaguán y al poco me abre un muchacho muy moreno, uno de los hijos seguramente. Casi enseguida, sin que yo tenga que decir más nada, asoma detrás de él la cara de una mujer. No sabría decir qué edad tiene, su cara oscura podría pertenecerle a una niña o a una anciana, un rostro a la vez sufrido y jovial. Les digo de parte de quién vengo y ellos me sonríen, educados, como si ya me esperaran. Recuerdan al profesor, por supuesto. Mucho tiempo hace de eso. ¿Usted es su alumna?, me pregunta el muchacho, y yo asiento, no muy segura de que ese hecho sea motivo de orgullo o de vanidad. Dudo que ellos, de todas formas, hayan leído alguno de los artículos que mi supervisor ha publicado sobre sus costumbres, seguro que esas cosas no son de su interés, no vistas así, desde fuera y cargadas de jerga erudita.

Me siento un poco apenada al presentarme así, pero en mi reporte debo hablar de la unidad familiar, el parentesco, los linajes, a alguien necesito preguntárselo. No estoy segura de que nada de eso aplique aquí, pero con algo tengo que llenar las páginas. Pregunto algunas cosas y anoto todas las respuestas de mis informantes en un cuadernito de tapas oscuras. Me he prometido que solo sacaré el teléfono para grabar cuando sea estrictamente necesario; una de las cosas que he aprendido y tengo la intención de aplicar es no ser más intrusiva de lo que la situación amerita. La señora me pregunta, de pronto, en una extraña inversión de los roles, si estoy casada y si tengo hijos. Debo parecerle suficientemente mayor para tenerlos puesto que se atreve a sacarlo a colación; cualquier otra cosa sería una imprudencia. Algo se me estruja dentro y aunque no tengo ganas de responder siento que le debo esa pequeña muestra de reciprocidad. No, afirmo, lo más firmemente que puedo. No miento, desde luego. Lo que no ha llegado a término no cuenta como unidad. ¿No tiene?, insiste ella, como si leyera en mi corazón o en las líneas fruncidas de mis labios la admisión de aquella derrota. No, reitero yo. No tengo. ¿Quiere?, agrega ella. Asumo que se refiere al hecho de los hijos, a la posibilidad de tenerlos, no ahora, algún día, en el futuro remoto. No, respondo otra vez, aunque no estoy segura de que sea verdad. Tal vez quiera, pero no sé cuándo, no sé cómo, no sé por qué.

Cuando he pasado revista a todos los rubros necesarios nos enfrascamos en una conversación ligera, de esas para pasar el tiempo antes de decirse adiós. La señora me ofrece un vaso de agua que acepto, tras lo cual me despido prometiendo regresar. Venga a comer un día, me dice ella, no sé si de verdad o por compromiso, tal vez acordándose de la célebre hospitalidad que, dicen, caracteriza a la gente de este lugar. Estoy de nuevo en la calle, sobre el empedrado caliente. Los niños que pasan me miran con curiosidad. ¿De dónde eres?, me dicen. ¿De dónde soy?, repito. ¿De dónde eres? Parecemos un montón de loquitos repitiendo un mal sketch. Les digo el nombre de mi ciudad, y ellos exclaman, como si eso lo explicara todo. No es una ciudad linda, eso suele decir la gente. Demasiada industria, poca atracción. Gente mojigata, poco proclive a divertirse. O tal vez no, tal vez una solo pueda hablar de lo que conoce, y yo no conozco mucho en realidad. Quisiera decir que es porque soy muy joven, pero eso tampoco es cierto. A los veintitantos, una debería tener ya tomadas ciertas decisiones, un sendero en ciernes, algo más que el vacío al que arrojarse de bruces.

El estómago me ruge, he de comer algo antes de continuar. Pregunto a uno de los niños, que me dice que donde Nicasia venden sopes, mientras señala con el brazo extendido hacia el rumbo de las casas que se alzan mustias al principio de la calle. Encuentro el puesto enseguida, una de las ventajas de los lugares chicos y con poca población. Está a unas cuantas casas, en el extremo opuesto del que acabo de visitar, detrás de la iglesia, como dijo el niño. Acá todo se mide y se ubica por referencia a ese espacio, que siempre parece ser el centro al que tiende todo lo demás. El *omphalos*, como decían los griegos.

En el puesto de Nicasia hay varias sillas, dos mesas con manteles de hule con estampado de flores, una mesa larga desde la que ella despacha, todo muy junto, en una configuración compacta, como para anular cualquier cosa que pudiera confundirse con la intimidad. Me siento en la única silla libre, junto a una pareja de novios que no aprecia mi intromisión. La lona deja pasar una luz anaranjada, que distorsiona los colores y hace que mi piel luzca parduzca y desigual, una cosa reptiliana o en mutación. Más allá, en la callejuela, ha empezado a caer la sombra del campanario, un cuerno gigante o una uña curva y afilada que se extiende poco a poco sobre los niños que esperan no sé qué sentados sobre la banqueta, la sombra picuda que es un gigante que devora de un bocado a las indefensas hormigas que se han osado acercar. En el puesto me ofrecen un vaso de un líquido lechoso que al principio tomo por pulque, aunque solo es agua de alguna fruta que no reconozco. Mi lengua se cubre de delgadas hebras babosas que empujo con repugnancia hacia el fondo del paladar. Pregunto por las carretas. ¿Las qué? Las carretas, repito. Las de las mujeres que visten de blanco, allá, en el camino que va al cerro y a las cabañas. La dueña del puesto y los comensales se miran unos a otros y después me miran a mí, y sonríen sin decir palabra, como si me consideraran rara, o estúpida, o loca de atar.

4

Descubro el caserío por la mañana. Está al final del camino de tierra que nace más allá de la cancha improvisada y de los columpios, tras un segundo sendero escondido que se interna serpenteando en el bosque. Pese a haber recorrido ese camino por primera vez hace dos días, hoy se me antoja de sobra familiar, como si lo conociera de antes. Será, tal vez, que en el fondo todos los caminos se parecen, que una vez que se ha andado por uno es como si se hubieran pisado todos los demás. Me sorprende, eso sí, no haber visto claramente aquella ruta durante esa primera incursión; o será tal vez que, en mi distracción, he debido pasarla de largo. Es, por tanto, un sendero muy bello, rodeado de bosque y bordeado de pequeñas flores silvestres. De nuevo, lamento mi pobreza de lenguaje, no poder decir que hay en este bosque olmos, arrayanes, cipreses o secuoyas. Ser incapaz de describir las especies de flora o fauna que lo habitan. En otra vida, me habría gustado ser bióloga, o zóloga o paleontóloga, alguien capaz de poseer las herramientas, las claves que, al nombrar el mundo, lo llenaran de un sentido preciso y, por ello mismo, descifrable y carente de ambigüedad. También es probable que no haya ninguno de esos árboles en este ecosistema montañoso, donde lo más exótico deben ser los pinos, los robles o el ocasional oyamel. A cada uno lo suyo, supongo. Y de todas formas esto no podré ponerlo en la descripción de mi visita, en mi reporte, es decir, mi apreciación del paisaje no forma parte, creo, del objetivo principal por el que estoy aquí.

Al principio no me atrevo a pasar más allá de la verja en la que desemboca el camino: es de madera y alambre, casi tan alta como yo, lo que tal vez no sea decir mucho, de no ser porque rodea el sitio en redondo hasta donde me alcanza la vista. Más importante: el letrero sobre la puerta dice claramente que está prohibido el paso; se trata de un pedazo de cartón doblado y de una escritura de letras retorcidas, imperfectas, como si hubieran sido trazadas por un niño. Pero basta empujar la puerta levemente con la mano para que ceda, como si hasta los objetos se negaran a tomar en serio esa advertencia. Me disuade, en cambio, el olor a quemado, levemente dulzón, que flota en el aire. Busco con la mirada, en caso de que pueda haber algún fuego por aquí cerca, pero no se ve humo por ninguna parte. Me entra de todas formas una repentina sensación de miedo: pienso en plantíos de marihuana, en fosas clandestinas, en ejércitos que queman por igual viviendas y gente. Pienso que estoy entrando en territorio peligroso.

Pese a ello, puede más la curiosidad y, aunque con cautela, me interno unos cuantos pasos hacia el interior, siempre siguiendo el sendero que otros pasos han ido hollando antes de que yo llegara. El caserío se me aparece de pronto, a tan solo unos metros de distancia de la verja y entre un montón de árboles esqueléticos que anuncian a otros, mucho más frondosos, que se ocultan detrás. Son como mucho cinco o seis casas de adobe, todas ellas pintadas de blanco. O tal vez debiera decir que estuvieron pintadas de blanco alguna vez: a juzgar por los manchones que de ese color quedan aún sobre el revoque descascarado las viviendas deben de llevar mucho tiempo sin mantenimiento, aunque la combinación de materiales ha sabido resistir a los elementos. Hay, empero, algo de ruina ignota en su aspecto. Sus techos, triangulares y oscuros, son de teja de barro y forman, a su manera estropeada, un entramado de pequeños picos que, en conjunto, parecen colocados en una disposición deliberadamente semicircular. También puede ser que esto sea un error de interpretación, que sea solo mi mirada la que insiste en atribuirle un orden a lo que no lo tiene.

Me adentro en el caserío hasta su centro, allí donde se abre una suerte de pequeña explanada bordeada por un seto de hierba crecida en el que deben abundar las alimañas. Varias nubes de mosquitos se desplazan hacia el fondo, en torno a lo que parece un pozo que alguien ha sellado con tablas. Del otro lado, detrás y entre las casas mismas, el aspecto no es más alentador: por todas partes se alzan pilas de hojas secas, tabiques sueltos, trozos de madera podrida, lo que parece un atado de trapos viejos. Una última estructura, ligeramente más alta que las anteriores, se levanta ruinosa en el extremo que colinda con el bosque cerrado, justo por el lado opuesto a aquel por el que acabo de subir. Su única ventana oval en el centro le da el aspecto de un cíclope herido o de una vieja capilla abandonada. Algunos restos de vidrio colorido dejan ver que, en efecto, esa ventana debió de contener alguna vez un vitral, algo en rojos, en amarillos, un diseño del que no quedan sino las esquirlas afiladas como dientes en torno a un travesaño cruciforme.

Estoy a punto de marcharme de ese sitio que me parece a todas luces abandonado cuando alguien me llama desde el interior en penumbras de una de las primeras viviendas. Es un muchacho. Tendrá como mucho veinte años, y está aquejado de albinismo. Bajo sus pestañas amarillas arden unos ojos de un gris verdoso. Creo recordar que los albinos no ven bien, y que les molesta el sol, así que me acerco para asegurarme de quedar dentro del campo de su visión; después de todo, soy yo quien ha entrado en su territorio sin pedir permiso. Soy yo quien debería tener la cortesía de presentarse. Ensayo una especie de saludo genérico, y ahora que estoy más cerca percibo, en las respuestas guturales y en las muecas retorcidas de mi interlocutor, un leve dejo de brutalidad, o quizá de algún tipo de discapacidad. Por un momento se me ocurre que el muchacho tal vez se acerque más a los animales que a las personas, pero trato de sacarme de la cabeza esa idea tan poco amable. ¿Qué sé yo de la forma en que algunos se comportan? La psicología tampoco es mi fuerte.

Me acuerdo de esas historias de niños salvajes encontrados en el bosque, de la dificultad para que, ante la falta total de estímulos humanos, estos reaccionen y se comporten de una manera que no resulte por fuerza bestial, ajena a la civilización. Al cabo de unos segundos, como en un eco de ese pensamiento, o, mejor dicho, para contrarrestarlo, el muchacho me sonríe al fin. Tiene unos dientes pequeños, las encías de un color rosa encendido, el pelo trasquilado de mal modo. Parece contento de verme, como si me esperara desde hace mucho. Sale de la casa dando saltitos sobre sus pies desnudos, cubiertos de fango y de lo que supongo será excremento de vaca. Con señas me pide que lo siga y yo no tengo corazón para desobedecer. Me enseña, siempre con gran entusiasmo, toda la parte trasera del caserío, esa que yo no había visto aún: los establos, las gallinas, las cabras que, al fondo de un cobertizo apestoso, balan adoloridas como criaturas molidas a palos. Una de las cabritas yace tendida sobre un montón de paja, con un becerro colgando de las tetas. Entiendo, por las señas del muchacho, que acaba de parir. Detecto un brillo triste e inteligente en los ojos negros y acuosos de la bestia, una densidad que, por un momento, me hace dudar de la afirmación de que allí dentro no hay nada que se parezca a la razón.

El olor a estiércol y a sangre es allí insoportable, y le digo al muchacho que está bien, que ya podemos marcharnos, que ya vi lo que había que ver. Pero él no ha terminado: Ven, ven, parece decirme en su rústico lenguaje y, una vez fuera de nuevo, corre enseguida rumbo al lado contrario del que hemos visitado ya. Me lleva detrás de las casas, allí donde un espantapájaros de tela custodia una parcela de labor que no merece ese nombre. Entre grumos de tierra reseca quedan aún algunos restos ennegrecidos, algunas raíces retorcidas, unas cuantas hojas marchitas de lo que parecen nabos, tal vez alguna zanahoria reseca. Todo aquí da testimonio, pienso, del abandono de la voluntad, de la imposibilidad de que un día pueda allí crecer de nuevo algo útil, comestible y bueno. Cuesta trabajo pensar que algo se dio aquí alguna vez.

El muchacho me mira, huraño. No sé qué decir, cómo se espera que reaccione. Pese a que todo esto me ha sido mostrado de buen grado tengo la impresión de ser una intrusa, de estar pisando un lugar al que no me han invitado y en el que no tendría que encontrarme. Le pregunto al muchacho si vive solo, y él niega con la cabeza mientras señala hacia la lejanía, un gesto que podría referirse a la casa vecina o a cualquier otro punto del paisaje circundante. Infiero que quien sea que vive con él está ausente, que andará en el monte, con el resto de los animales o buscando hierbas o haciendo lo que sea que haga la gente que habita aquí. Hace calor, siento la frente cubierta del sudor pegajoso de la canícula. No he traído mi sombrero y temo insolarme.

Me llaman la atención las coronas de flores marchitas colgadas del vano de lo que desde ya llamo la capilla, y los signos que, sobre las puertas de las casas, me recuerdan a ese pasaje de algún libro de la Biblia, ahí donde el ángel de la venganza respetó solo los hogares que habían sido marcados con ese fin. Me pregunto de qué mal se esconde esta gente, si es que, en efecto, el muchacho no miente y allí vive alguien además de él. Qué cosa podrá petrificarse ante la visión de unas cuantas manchas de tinta, triángulos, pequeños círculos entrecruzados, algo que parece una minúscula espiral. Le pregunto al muchacho qué significa, pero no entiende, o finge no entender. Guarda silencio, y adopta un aire taciturno que me parece una estrategia de disimulo y de ocultación.

Pasados unos minutos, como si fuera una señal de que la visita se ha terminado, el muchacho deja escapar una especie de grito corto y echa a correr hasta entrar en la casa de la que salió, cerrando la puerta tras de sí. Al mismo tiempo, como en consonancia, empieza a brotar del interior de las casas, o tal vez de algún punto encima o detrás de ellas, una especie de murmullo, alguna risa, tal vez una vibración. No me quedo a averiguar. Bajo la cuesta deprisa, como si me estuviera escapando de un peligro innombrable.

De vuelta en la cabaña me siento segura casi enseguida, convencida de que, lo que haya sido, se ha quedado atrás o ya pasó. Mi cabaña, me digo, es una fortaleza inexpugnable. Mi cabaña es una guarida. Pienso en darme un baño, pero me arrepiento: ya es muy tarde, tendría que hacerlo con agua fría y no me apetece. En lugar de ello me preparo algo de comer en la vieja parrilla de la cocina mientras pienso en lo que acabo de ver. ¿Qué acabo de ver? Nada, en realidad. Un villorrio perdido, olvidado, un caserío como debe haber tantos en todo el país. Se me ocurre que debe ser uno de esos lugares donde los hombres se han ido a trabajar al norte, dejando atrás niños, mujeres e inválidos. Eso, al menos, explicaría en parte la presencia del muchacho albino. Recuerdo que, en algún lugar, en África probablemente, se cree que los albinos son portadores de poderes especiales y, por esa misma razón, se les persigue, en ocasiones hasta matarlos. Una mano, un brazo, un pie de albino pueden valer su peso en oro. Tal vez alguien haya dejado al muchacho atrás siguiendo una superstición semejante, pero a la inversa. Quizá su presencia, buena para algunos, sea considerada por quienes allí viven como un signo de mal agüero, algo portador de tan mala suerte que lo último que uno querría es andarlo paseando por el monte. Que el muchacho albino es lo contrario a un talismán.

Pero me duele la cabeza, no tengo ganas de pensar. No debo volver a exponerme al sol de esta manera, a los elementos, a lo que sea que pueda provocarme una alteración. Escribo: *Alteración: lo que se sale del rumbo normal de las cosas. Lo blanco en un espacio que debería ser negro. Casas blancas, cuerpo blanco, mente negra. El niño que se murió en mi vientre no era ni siquiera un color, pero alteraba. Lo que llevaba en mi vientre sucumbió a la tentación.* Trato de reproducir, en una esquina baja de la hoja, las figuras que he visto esa tarde en las puertas de las casas, pero nada de lo que trazo se parece ni remotamente al original. Me trago una aspirina seguida de una de mis pastillas pese a que todavía falta un rato para la hora en que habitualmente las tomo. Siento la boca reseca, un nudo apretado en el estómago, un temblor en las rodillas. No tengo hambre, a pesar de que la comida que he preparado está lista y hace ya mucho rato que pasó la hora de almorzar.

5

Bajo al pueblo de nuevo, esta vez con la clara intención de visitar la iglesia. He intentado hablar con el cura en al menos dos ocasiones, pero me han dicho que atiende solo por las mañanas, salvo, desde luego, en casos de extrema necesidad. No sé qué pueda entrar en esa peculiar categoría de la urgencia espiritual. Una extremaunción, tal vez; no puedo imaginarme algo más impostergable que la muerte. Ir y venir al mismo sitio una y otra vez me fastidia, pero no puedo marcharme de aquí sin haber entrevistado al cura al menos una vez, sin haberle preguntado qué piensa de la grey de la que, después de todo, él constituye la cabeza. También, secretamente, espero que pueda decirme algo del caserío, de las mujeres, de las carretas. De los pájaros que siento que me visitan por las noches y a los que ayer me pareció vislumbrar en pleno día agitando sus alas blancas en la enramada, en dirección al camino que va al caserío.

La iglesia es oscura, rectangular, con ambos costados repletos de viejas estatuas de estuco, de tallas de san José, de la Virgen de los Remedios, de un niño milagroso del que no he oído hablar jamás. Más allá, en el altar, se yergue el santo patrono con el brazo levantado, justo debajo de un Cristo oscuro cubierto de sangre de la cabeza a los pies. Estas imágenes barrocas siempre me han causado una gran impresión: corazones sangrantes, pechos torturados, santa Catalina con sus ojos dispuestos en una bandeja. El muro lateral de la iglesia, al lado del que ahora camino, ha sido decorado con un mural pintado a mano, de no muy buena factura, la verdad. Por más que busco por ningún lado se lee el nombre del artista, así que supongo que lo habrán pintado los lugareños. El mural representa, en vivos colores, lo que parece una procesión, un grupo que avanza entre los cerros bajo un sol abrasador del que caen lenguas de lumbre. Los rostros de los personajes son toscos, de marcados rasgos indígenas y aspecto hierático, y algo en ellos recuerda a esas imágenes bizantinas sin perspectiva ni volumen. Probablemente se trate de esa escena bíblica donde desciende el Espíritu Santo, aunque hay algo de perentorio en la imagen, que se me figura, más bien, la representación de un pequeño apocalipsis que aún no ha tenido lugar.

En el centro de la iglesia, entre los bancos de madera, una alfombra raída señala el camino entre la puerta y el altar mayor. Está salpicada de pétalos de flores; quizá hayan celebrado una ceremonia recientemente. Una boda, o una primera comunión. No se me olvida que en estos pueblos el catolicismo y sus ritos conviven perfectamente con las creencias populares, y que la gente suele participar con buen ánimo ya de una o de otra vertiente de todo lo que tenga un olor a fe y a ritual. Aquí nada hay peor que la omisión, la renuncia a la creencia comunal. Tengo una visión de mí misma caminando en un pasillo semejante, de niña, cuando mi abuela me llevaba a dejarle flores a la virgen. Cantábamos la Guadalupana, y otra canción de la que ya no me acuerdo *(ella canta junto a una niña extraviada que es ella)*, y sujetábamos con fuerza los tallos de lo que, en mi caso, siempre eran gladiolas. Me acuerdo de mi primera comunión, de cómo me vistieron de blanco y me pusieron entre las manos un cirio que al final me quemó. Tengo entre el dedo medio y el anular una cicatriz pequeñita, delgada, algo desvanecida por los años. Hasta la fecha mi madre piensa que eso también me lo invente. Pero una no inventa el dolor, sino al contrario.

Me acuerdo también, claramente, del cura que oficiaba en aquella iglesia del barrio de mi niñez, un hombre joven y guapo del que entonces me enamoré. Sospecho, solo ahora, que ese enamoramiento era, al menos en parte, consecuencia de saber que él estaba impedido para amarme a mí, como si la sola imposibilidad del hecho bastara para tornarlo atractivo. Mi madre me habría azotado de haberse enterado de estos pensamientos. El padre aquí, en cambio, es viejo y parece muy cansado, no existe el más mínimo riesgo de infatuación. Me cuesta trabajo imaginarlo recorriendo los pueblos de la comarca, lanzando bendiciones tras haber caminado durante horas sobre el polvo del camino. Lleva puesta una sotana descolorida, el pelo escaso, peinado de manera que entre las hebras plateadas se le asoman retazos de piel cubierta de manchitas pardas. Es tan fina su piel que temo que, si se mueve demasiado deprisa o con brusquedad, esta se rasgue, que su piel se parta como las telas desgastadas y brote de entre la grieta resultante la mole amarillenta de su cráneo. Me acerco a él y le digo quién soy y a lo que vengo, y él se queda pasmado, como si no comprendiera. Le entrego mi carta, esa que habla de mi proyecto, de la universidad, de la importancia de recabar información de campo. Apenas la mira, entre desdeñoso y apático, y, tras devolvérmela, me señala con la mano uno de los bancos delanteros. Es obvio que no tiene intenciones de que la entrevista transcurra de pie.

Allí, debajo de la mirada escrutadora del santo patrono y del Cristo lastimado que llora eternamente sus heridas, el cura me habla de las mayordomías y me pregunta si me pienso quedar para la fiesta patronal. Parece decepcionado cuando le digo que no, porque para eso falta mucho tiempo y yo debo marcharme pronto. Apenas acabo de decirlo me doy cuenta de que suena como una mentira, y de que tal vez lo sea. ¿Por qué necesito irme? Nada me espera allá, en la ciudad. Sé de sobra que, cuando todo esto termine, no buscaré un empleo, no de inmediato, al menos. Que tampoco estaré en condiciones para proseguir, suponiendo que obtenga mi título, en la larga cuesta académica en la que algunos de mis compañeros se han embarcado ya. Que estaré, como quien dice, librada a mí misma, que es lo mismo que decir a la deriva. Eso tal vez debería espantarme, pero solo me provoca un ligero temblor, el aleteo de algo impreciso en el borde de mi visión.

Como si me adivinara el pensamiento el padre me pregunta qué estoy buscando. Sé que se refiere a otra cosa, a los temas y materia de mi trabajo aquí, pero la brusquedad de la enunciación me pone en guardia de todas formas. Quiero decir, aclara él, que los estudiantes (así dice: los estudiantes, dentro de los que al instante me clasifica) que vienen al pueblo siempre quieren tomar fotos de las procesiones, de la verbena, de la fiesta patronal, en esta época no hay nada de eso. Entonces sonríe, porque acaba de recordar que, justamente, se celebrará una pequeña festividad en algunos días y espera verme allí. Al menos, hija, podrás llevarte algo, me dice, como quien tiende al que se marcha un contenedor con alimentos que una podrá comerse en el camino. La mirada del padre cobra de pronto un aire de tristeza: ¿Quieres confesarte, hija?, me pregunta. Ante mis ojos vuelve a aparecer mi imagen, yo en el estacionamiento de la facultad, la sangre chorreando entre las piernas, mi cuerpo inmóvil, mi rostro con los ojos en blanco. Podría contarle al padre que otros piensan, que han pensado, que fui yo quien provocó la desgracia, pero en teoría eso me convertiría en una asesina que pide perdón. No quiero que ni él ni nadie me otorgue misericordia o absolución. Podría, en cambio, decirle que el doctor mencionó que lo que me ocurrió fue efecto de la insolación, del estrés, que yo no tuve culpa alguna, aunque eso, en rigor, tal vez tampoco sea verdad. Podría intentar convencer al padre de que yo ya había perdido al bebé antes de que todo se terminara, que lo que pasó después fue solo una repetición. Que yo misma empiezo a no entender el curso de los eventos. Que confundo lugares, causas y consecuencias.

¿Hija, necesitas agua? Le digo al padre que no, que gracias, y él asiente sin agregar nada. Porque creo que algo tengo que decir, admito que he ido a un sitio que está prohibido, y el padre dice un rápido Avemariapurísima. No sé qué se estará imaginando, qué alados espectros habrán atravesado volando las cavernas de su mente. Pasamos al confesionario, que es oscuro y estrecho. El aliento fétido del cura me llega desde detrás de la celosía agujereada, su voz de repente resuena como una risa un tanto insolente, de hombre que impone su penitencia con la certeza de que esta se cumplirá. Conmigo ha fallado, pienso. No ha tenido en cuenta mi histeria, mi poca confiabilidad. El hecho de que mis recuerdos estén cubiertos por una película opaca. Le menciono lo de las mujeres y las carretas y por toda respuesta recibo silencio. Luego, cuando yo también me quedo callada, él me cuenta una historia muy rara, de bolas de fuego, de brumas de las que salen figuras que no tienen pies. Me habla de una mujer que camina desnuda por los caminos vecinales y busca a los hombres para arrancarles el corazón. Pero eso fue hace mucho tiempo, hija, aclara, hace mucho que esas cosas no pasan por aquí. ¿Y los pájaros, padre?, insisto. ¿Qué pasa con los pájaros? Esos deben ser demonios, hija mía. Ángeles caídos que andan en busca de un alma que devorar. Limpia tu conciencia, cuéntamelo todo de una vez. Sácate ya ese peso de encima.

Vuelvo a las cabañas más temprano que de costumbre porque después de ese encuentro no tengo ganas de entrevistar a nadie más. Mis pies me pesan como si los trajera cargados de plomo o cubiertos de heridas. Todavía no he cruzado la caseta de seguridad cuando, desde el camino, vuelvo a verlas, a las mujeres de blanco. Están allí arriba, en el sendero de tierra, detrás de los columpios que chirrían por obra y gracia del viento que empieza ya a soplar. Sobre sus cabezas brilla algo, una especie de estaca enorme con una medialuna en lo alto, algo que bajo el sol ardiente tiene el aspecto de una guadaña. No alcanzo a ver bien desde la distancia, pero supongo que será alguna herramienta de trabajo, algo que traerán en las manos porque no tuvieron tiempo de dejarlo en sus casas, o porque vendrán ahora mismo de las tierras de labor. Pero no parecen vestidas para arar ningún surco, y el objeto, por más que me esfuerzo en mirar bien, me sigue pareciendo flotar en el aire por obra de algún mecanismo inexplicable. Me sorprenden los rostros incoloros de las mujeres, la uniformidad de su piel, sus trajes, que parecen hechos de papel. No parecen campesinas en absoluto. ¿Será que nunca se expondrán al sol? ¿Cómo harán para que este no deje en ellas su impronta? Por la noche escribo: *He visto a las mujeres de blanco, no las soñé.* Las he visto de verdad y yo estaba despierta, y ellas me miraban de pie bajo el sol de la tarde y murmuraban mi nombre.

6

La libreta aparece en mi puerta dos o tres días después. Está allí, sobre la tierra ligeramente húmeda de la entrada de la cabaña, justo donde el desgaste del pasto indica el punto por el que se viene y se va. Es un cuaderno de pasta gruesa, negro y sin rotular, de los que no se compran en cualquier papelería barata. Lo levanto con cierto temor, casi con ansiedad, temiendo que alguien venga a arrebatármelo en cuanto crea que me lo he apropiado sin merecerlo, como cuando uno se encuentra un billete abandonado en plena vía pública: cualquier otro pudo encontrar el tesoro, pero resulta que he sido yo. A primera vista noto que la libreta está cubierta de la primera a la última página por una escritura apretada, sinuosa, que tiende a la desesperación. Bajo las líneas, en los márgenes, y en algunos casos en páginas completas, se despliega una serie de dibujos igualmente abigarrados.

¿Quién pudo dejarla aquí y para qué? Sospecho en primera instancia del vigilante, pero no me parece que sea del tipo al que le gusta escribir, mucho menos puedo imaginarlo dibujando. Además, su presencia se me antoja poco más que la de una sombra: las sombras no atesoran objetos para luego compartirlos; las sombras no dejan señales en el camino. Las sombras, desde luego, no llevan registro escrito o visual del diario devenir de los hechos. También se me ocurre que podría haber sido el muchachito albino al que conocí en el caserío, pero de inmediato me convenzo de que no puede ser. Me resulta imposible pensar que haya podido escribir una cosa así, y tampoco lo veo caminando a solas del caserío a la cabaña en plena noche para traerme esto, ni, sobre todo, pasando sin ser visto frente al ojo sin párpado del puesto del vigilante. Me preocupa, por supuesto, que alguien pueda entrar tan fácilmente hasta acá sin ser visto, acercarse así a mi refugio y marcharse luego a su guisa.

Dejo la libreta sobre la mesa-escritorio para hojearla más tarde. Me siento adormecida de mente y de cuerpo, lenta y pesada como un caracol. Las cosas se complican porque, siendo sábado, la tranquilidad del complejo campestre está en jaque: afuera hay un coche que no estaba allí antes y desde la puerta entornada de la cabaña más cercana me llegan voces y un rumor de muebles que son arrastrados, acomodados y movidos, como si mis vecinos temporales no acabaran de encontrar la disposición perfecta para expandirse, la configuración en la que serán capaces de pasar a gusto su estancia de un día o dos. No tengo curiosidad alguna por saber quiénes son, de dónde vienen, para qué están aquí, pero no puedo evitar escucharlos ni puedo ignorar el incordio de su indeseada presencia. Espero que, en efecto, se vayan pronto. Deseo, sobre todo, que no descubran el caserío, como si esas casas y lo que ocultan fueran solo para mí.

Entretanto, decido no salir, no por el momento. Para entonces he entrevistado a varias familias del pueblo, a los comisarios comunales, a la gente del ejido, a los encargados de algunas de las mayordomías, creo que me merezco un descanso. También ha empezado a parecerme que la gente del pueblo y yo nos miramos como si no perteneciéramos al mismo país, aunque en el fondo nos parezcamos. Es como mirarse en un espejo y no quererse o no poderse reconocer. No he empezado a redactar el reporte propiamente dicho, pero para eso, me digo, todavía hay tiempo.

Al final, me quedo en la cabaña todo el día, no trabajando en mi reporte sino leyendo las líneas de lo que me acabo de encontrar. Debo hacerlo con cuidado, con paciencia, como quien escruta un mapa que promete una revelación. Me he metido en la cama y estoy entre las sábanas, que huelen aún al sudor que deja la noche. En los últimos días apenas la he arreglado, mucho menos he tenido la precaución o el gesto de higiene de sacar las mantas a orear. Sobre la almohada que guarda aún la forma ovalada del hueco de mi cabeza he dejado la libreta abierta en una página en la que hay texto corrido, seguido de lo que parecen versos. Más abajo, me encuentro lo que se me antojan los dibujos de un loco, todo trazado en una mezcla de lápiz y tinta roja. El efecto es curioso e inquietante. En los dibujos distingo claramente los cuerpos femeninos, acompañados de lo que quizá sean pequeños animales de granja, plantas que les brotan de la cabeza como penachos. Me hace pensar un poco en aquel manuscrito indescifrable, el Voynich se llama. Pero esto no es ningún manuscrito antiguo, por más que la mitad de lo que leo sea o parezca jerigonza. La otra mitad está tan mal escrita que, al igual que los exegetas fracasados, no logro introducirme en sus honduras. No hay fechas por ningún lado pese a que poco a poco me va quedando claro que esto fue realizado sobre la marcha, de manera progresiva y metódica; que se trata, a su manera improbable, si no de un diario, sí de un registro somero de eventos cotidianos, de cosas que le ocurrieron a quien lo escribió.

A fuerza de darle vuelta a las páginas y de encontrar aquí y allá pasajes que no bordean lo impenetrable entiendo que en el texto se habla de un lugar que se llama El Retiro, de un lugar que el autor o autora del texto, al menos, llama así. No hay forma de comprobar que lo que supongo sea cierto, pero mi sospecha es, desde luego, que se refiere justamente al sitio que ya conozco, al caserío, es decir: *Está detrás de la colina, allí donde lo que es, parece, y lo que parece no es.* Luego, más adelante: *Es preciso salvar el linaje, preservar lo que está oculto. Una llamarada traerá el delirio, dos, traerán la redención. La caminata entre los cerros hará bajar a la que está escondida. La semilla no precisa de un hombre y de una mujer.* No entiendo nada, no estoy segura de que haya ahí algo que deba ser entendido. *A la luz de la luna renace la pluma del ave dormida. Bajo el rayo del sol se abre la carne. El huevo se llenará solo para volverse a vaciar. El círculo es su nombre. El vientre es la garantía de la cosecha que vendrá.* Más dibujos, más trazos, más palabras, todo entrelazado, como en clave.

Paso el dedo por encima de las líneas, como si acariciara con las palmas de mis manos un libro escrito en braille: a fuerza de repasar las palabras quizá terminen por cobrar sentido. El roce de mis yemas difumina, no obstante, la intención de concreción, y me doy cuenta de que estoy ante el esfuerzo de alguien que no conozco por representar lo que tal vez sea irrepresentable. ¿Qué se quiso decir con esto? ¿Su autor era hombre o mujer? ¿Se elaboró porque se quería que alguien más lo encontrara, o se trata de un intento personal, íntimo, por convencer a la propia mente de que lo que se miraba era real? Pienso en los trazos de los hombres y las mujeres del Paleolítico, en la forma en que estos contaban visualmente sus historias tal vez no para que permanecieran sino para verse reflejados a sí mismos en ellas. Lo que más me intriga son los signos: palitos y círculos de cuyos centros se desprenden ondulaciones como hebras erizadas. Más allá, otro círculo de mujeres desnudas, sin color, y una figura oscura en el centro. Una luna enorme arriba, redonda, que chorrea unas gotas gruesas y oscuras de lo que supongo debe ser sangre. Un montón de pequeños triángulos y medios círculos revolotean alrededor, como en los trazos que haría un niño para representar el vuelo de las aves.

Tras la lectura me siento nerviosa, tan cansada que las letras se trasforman ante mis ojos en pequeñas hormigas que se desplazan a su antojo por el borde del papel. Tengo la impresión de que alguien o algo me espía. Miro por la ventana y veo a la familia que juega a la pelota a la distancia, demasiado lejos de la cabaña, demasiado enajenados con lo suyo como para que pudieran interesarse, siquiera remotamente, en lo que pasa aquí. Verifico la puerta, que encuentro bien cerrada. Controlo por enésima vez que el cuadro siga volteado de cara a la pared. Cada noche me cercioro de que sea así: lo levanto, me asomo, y cuando compruebo que todo está en orden lo vuelvo a dejar en su lugar. Esta vez lo giro, presa de un presentimiento que se confirma con la súbita impresión de que algo en él ha cambiado, de que esta no es la disposición que tenían los objetos pintados en el lienzo el día de ayer. Los ojos de las aves, en particular, están más cerca, como si la distancia entre ellos y su presa se hubiera acortado. Ahora lo sé: ellos son los depredadores y yo soy la víctima. No, no, eso no está bien. Quise decir *ella*. *Ella* es la víctima, la mujer que espera en la oscuridad. La confusión es normal; es el efecto lógico de las cosas que parecen estar cambiando todo el tiempo. Detesto este cuadro. Si no fuera porque soy aquí una invitada de buena gana destrozaría el lienzo, ajaría su tensa superficie de tambor con un cuchillo bien afilado, disolvería las formas y los contornos bajo un pesado chorro de aguarrás. Les habría sacado los ojos a esas aves con los dedos; habría liberado a la mujer con la sola fuerza de mi voluntad.

En el baño, al que por fuerza tengo que acudir tarde o temprano, me topo con la madre y uno de los niños. La madre me saluda deprisa y el niño pasa de largo a mi lado como si yo no existiera. Ella es delgada, alta, envarada, lleva un sombrero que se parece al mío. Pero, a diferencia de mí, va maquillada y lleva las uñas de los pies pintadas. Trae puestos unos shorts con un cinturón dorado, y sus piernas desnudas están cubiertas de minúsculos puntitos rojos que alternan, aquí y allá, con bultitos que se le han formado allí donde le picaron los mosquitos. El niño no se le parece: es rechoncho, debe estar atiborrado hasta el cogote de comida chatarra. Desde el interior del cubil los escucho lavarse las manos, a ella maldecir el flujo lento del grifo y al niño decir que no le gusta esto, que hay muchos bichos y que se lo van a comer. La madre lo tranquiliza, le dice que se pondrán repelente y que ya le ha puesto un mosquitero a su cama, que no tiene nada que temer. Pero su voz carece de convicción y el niño no parece persuadido; insiste en que no sirve, en que los monstruos pasarán de todas formas. Yo pienso que es él quien tiene razón.

Dejo de prestarles atención porque dentro, en el cubil del baño, la mancha de sangre sobre mi ropa interior es una boca abierta que clama a gritos su propia angustia. La miro un momento, con los ojos muy abiertos, sin comprender. Es la primera vez que me viene desde entonces. No sé qué me esperaba. ¿Que ya no pasara nunca? ¿Que lo ocurrido me permitiera situarme fuera de las leyes de todas las hembras de mi especie? La sangre fluye con la orina, esa mezcla tibia e infecunda que se desliza hacia las aguas negras de alguna fosa séptica o, tal vez, con suerte, hasta el mar, muy lejos de aquí. Recuerdo que, en mi distracción, no he traído compresas, y por un segundo se me ocurre que podría pedirle ayuda a esa mujer desconocida. Que podría evitar que lo que aún es secreto se vuelva evidencia. Desisto de inmediato; lo que me ocurre es algo que, de tan común, es de una intimidad que raya en lo aborrecible. Doblo el trozo de papel higiénico que tengo en la mano y, en lugar de usarlo para su propósito, me lo pongo bien firme y apretado entre las piernas. Eso ayudará de momento. He oído que hay chicas que se atreven a ir por la libre, a menstruar sin inquietudes ni protección, pero yo no estoy preparada para dar un paso así.

Camino con prisa de vuelta a la cabaña, allí donde me siento a salvo. Durante un buen rato me quedo sentada ante la mesa, agarrándome el estómago. Pequeños calambres se desatan en mi vientre y se extienden como dedos que me acarician a lo largo de mi espalda, de mis miembros, como si algo allí se estuviera desovillando. Prueba de que algo no va bien, no en mis entrañas sino en mi cabeza, es que en lugar de bajar a comprar las compresas que necesito me lanzo al caserío de nuevo. Me resisto a decirle El Retiro, no quiero imputarle una identidad falsa o que le ha sido asignada por otro. No sé a lo que voy. Quiero, supongo, verificar en persona algo de lo leído, igual que esos viajeros que se lanzan al mundo guía en mano para constatar la veracidad de la fuente del asombro.

La puerta de la verja de alambre está abierta esta vez, pero el letrero sigue en su sitio. Me topo con el muchacho albino ya en las lindes del caserío, quien me regala de inmediato una mirada de reconocimiento. Sin que yo tenga que decir nada me conduce al interior, entre las casas, como si nos conociéramos desde siempre. Al mismo tiempo, parece estar allí con el solo propósito de asegurarse de que yo me mantenga a cierta distancia, de evitar que deambule fuera del sendero que me está permitido. El albino es un guardián, me digo. El albino es el guía que me señala el camino, no sé si al infierno o al paraíso. Va vestido con los mismos andrajos de la vez pasada, su cabello sucio y casi blanco apelmazado en la nuca, los pies cartilaginosos de no usar zapatos. No ha dicho una palabra, pero de pronto, cuando estamos justo en el punto más céntrico del claro, de pie entre las casas que nos miran impávidas con sus ventanas oscuras, el chico lanza un alarido, una especie de sonido gutural que me pone los pelos de punta. Es un llamado, eso está claro, una suerte de lamento callado que hace que, una a una, las puertas de las casitas se vayan abriendo y de ellas salgan, poco a poco, quienes las habitan.

Son las mujeres, esas a las que he visto antes. Pero eso ya lo sospechaba. Eso es algo que solo tenía que constatar. No entiendo cómo es que suben hasta este punto con las carretas, tiene que haber otro acceso además del que acabo de recorrer. También puede ser que las dejen lejos, que las mujeres mismas prefieran y estén acostumbradas a subir a pie. Ellas me miran con curiosidad, pero sin prisa ni sorpresa. Es obvio que también me conocen, que me han visto, que sabían que tarde o temprano terminaríamos por encontrarnos. Vistas de cerca no son tan blancas como el muchacho, aunque hay en sus pieles una cualidad anfibia, de algo no terminado. En otras circunstancias el encuentro me habría dado miedo o angustia. Hay, sin embargo, en las pupilas claras de estos rostros algo que me tranquiliza.

El muchacho se llama Daniel. A la señal de una de las mujeres él mismo lo ha escrito en un pedazo de papel periódico que ha recogido del suelo. Me sorprende, de entrada, que sepa escribir. Ahora sé, por la escritura, que este Daniel es también el autor del letrero de *No pasar* que se me está haciendo costumbre ignorar. Pasada la fase de mutuo reconocimiento las mujeres me conducen al fondo, a una de las casas, al interior de lo que parece una cocina con un gran horno de adobe. Arriba, en una repisa de madera, se extiende una fila de cántaros y ollas de barro bruñido y frascos con hierbas y lo que supongo serán hongos secos. La estancia es fresca y oscura. La atravesamos y, al fondo, detrás de un muro que separa apenas las dos piezas, hay un artefacto que reconozco como un telar. Allí dos mujeres, siempre vestidas con aquellas túnicas largas y claras, tejen un lienzo con paciencia de monje. Lo que sale de ahí me recuerda otras cosas que he visto antes, las telas de los huicholes, las alfombras persas, el cuento de la Bella Durmiente, el arte psicodélico. Entiendo que lo que aquí se fabrica debe ser un producto para uso comunitario, pero tal vez también destinado a la venta, una de esas artesanías que uno encuentra en los mercados, aunque yo no he visto nada parecido exhibido en ningún lugar. Quizá bajen a la cabecera a venderlos, o trabajen sobre pedido, mucha gente hace esas cosas hoy por hoy.

Son muy bonitos, digo, a falta de algo mejor que comentar. Me marea el intrincado diseño que baila ante mis ojos, un laberinto de líneas ondulantes entre las que brotan flores, semillas, animales, con predominio de las especies aladas. Reconozco en los bordes del burdo pero bello tejido los mismos signos que ya he visto antes, distorsionados por obra de la manufactura. ¿Qué es esto?, pregunto, señalando en específico la figura alada del centro. Una de las mujeres se apresura a señalar hacia arriba, donde, para mi asombro, una enorme lechuza disecada pende de un lazo y se balancea en la sombra. Va y viene, como movida por un mecanismo secreto. Es como estar en uno de esos museos de ciencias naturales, con el espécimen a la vista y, a la vez, suficientemente alejado para que sea imposible tocarlo. Pero yo no quiero tocarlo. Su aspecto, por el contrario, me repugna de una forma que no alcanzo a describir. Del resto de los signos o lo que sean, ni una palabra, y yo no me atrevo a insistir.

Una vez fuera de la estancia me ofrecen algo de beber, que rechazo. El aspecto oscuro y espeso de la bebida me causa una repulsión intensa, sé que seré incapaz de contener la náusea. Ellas me miran con severidad sin que por ello se les borre ni un segundo la sonrisa. Me retiro avergonzada, pensando que las he ofendido. Ellas me siguen en persona hasta el borde del poblado y con la mirada durante muchos metros más allá. Mientras me alejo me parece que ululan o cantan. La sangre empapa ahora mi ropa interior, escurre entre mis piernas, sospecho que debe verse sobre mi ropa, incluso en la distancia, evidente como un estigma. Detrás de mí oigo a Daniel que me sigue a la carrera, jadeando, haciendo ruido con los pies desnudos que imagino pálidos como dos ajolotes que se arrastran sobre la hierba crecida del camino.

7

Son lechuzas las que vienen a visitarme por la noche. Las vi ayer claramente por primera vez: blancas, de impávidos rostros redondos y enormes ojos ambarinos. Se supone que son aves de hábitos nocturnos, pero tengo la impresión de que andan fuera a cualquier hora. Una, la más grande, se detuvo en el alero de la cabaña más grande y allí aleteó un rato con desesperación de madre que desea sobre todas las cosas proteger a sus crías. Pero no parecen sus crías. Las otras dos, aunque más pequeñas, exhiben más bien un comportamiento de machos sumisos, de reyes venidos a menos, no tengo la impresión de que se trate de polluelos. Pero ¿qué sé yo del comportamiento de esta especie o de cualquier otra? Las miro salir volando y permanecer en torno al seto de árboles cercanos hasta que, tras algunas vueltas en círculo, se acercan a la cabaña de nuevo y se detienen al fin en el tejado más cercano a mi puerta, las garras inmóviles y el rostro expectante, todas ellas convertidas en inesperadas gárgolas de un templo que no existe. Espero el momento en que giren sus cabezas plumosas hacia atrás, como las poseídas, pero en cambio permanecen inmóviles, con la vista al frente, y me dedican un ulular alargado que se pierde en el monte como un conjuro fallido.

La familia sigue aquí: anoche oí llorar a uno de los niños. Berreaba y berreaba, un alma en pena incapaz de encontrar consolación. En algún momento salieron todos de la cabaña y estuvieron allí afuera mucho rato mirando las luciérnagas y cuando me asomé el niño más pequeño las aplastaba con pies y con manos. Para, para ya, le decía la madre jalándolo a la desesperada por el borde de la camiseta. El hombre miraba todo de lejos, sin intervenir, con una cerveza en la mano, mientras el otro niño, ya mayor, pateaba un balón que fue a perderse entre la maleza sin que nadie lo siguiera. Sobre sus cabezas se estiraba la noche estrellada, los árboles alargados como extraños tótems de un mundo arcaico y dormido. Las siluetas del hombre, de la mujer y de los niños despojaban a la oscuridad de algún elemento importante, de algo de su cualidad primordial. Sus camisetas blancas reverberaban, imbuidas de una extraña fluorescencia similar a la de algunas especies de medusas o a la de los peces de la profundidad abisal. Desee, en ese momento, que a aquella familia la fulminara un rayo. Que su cabaña se viniera abajo y sepultara a todos y cada uno de sus miembros entre sus escombros. Que no volvieran a ensuciar la noche con su resplandor y con sus voces.

He escrito en mi libreta lo que sé del caserío. Lo que sé de El Retiro. Tal vez de verdad se llame así, tengo que empezar a aceptarlo. Pienso en las ventajas y desventajas de encontrarme de pronto en un lugar que me atrae pero que no he buscado. Serendipia, lo llaman: cuando lo inesperado hace irrupción. Hasta donde sé todos los habitantes del caserío son del sexo femenino salvo el muchacho albino. No sé quién será su padre, quién su madre. Tengo la impresión de que, si se lo preguntara a las mujeres, ellas negarían la filiación. Nadie nunca, si puede evitarlo, está dispuesto a aceptar que ha parido un ser impedido o deforme. También es posible que las mujeres, o que algunas de ellas al menos, sean sus hermanas, sus parientes en grado lejano o carnal. Esa palabra comporta una carga extraordinaria: *carnal,* lo que se refiere a los lazos de la carne y de la sangre.

O acaso el tal Daniel sea un recogido, lo que antaño se llamaba un entenado. No es poco común en el entorno rural. Ayer, sus ojos grises de mucosas rosadas me acompañaron todo el camino de regreso, su presencia era casi la de un perrito faldero. Solo al llegar a las lindes del complejo debí decirle que se marchara, no porque su presencia me molestara sino porque no quiero tener que dar explicaciones al vigilante, quien podría pensar que transgredo las reglas, que meto al complejo a gente que no vive aquí. La palabra *vivir* aplicada a este sitio me parece un absurdo. Miré marcharse al muchachito y voltear en mi dirección de cuando en cuando, sus ojitos cálidos de pronto hundidos en un cariz de tristeza. Puedes venir mañana, le grité, como si fuéramos dos niños que se dan cita para jugar juntos al día siguiente. Hasta ahora no se ha presentado, tal vez no me entendió.

Dentro de la cabaña huele a podrido, a sudor de muchos días. No recuerdo cuándo fue la última vez que me bañé, pero debe hacer ya varios días. Saco mi toalla, mis chanclas, y cruzo como una sonámbula el espacio que me separa de los baños, paso frente a las cabañas que brillan como si estuvieran hechas de mármol pulido. Otra vez es demasiado tarde para el agua caliente, así que no me queda más remedio que enjabonarme por secciones y enjuagarme el cuerpo sin entrar directamente debajo del chorro helado que sale de la regadera impulsado por una presión intermitente. Me limpio con las palmas de las manos las costras de sangre que se me han quedado pegadas sobre los muslos, el vello tieso e hirsuto de la entrepierna, las axilas que apestan y de cuyo interior mullido brotan menudas esquirlas de mugre negra. Alguien ha dejado en el pequeño hueco empotrado en el muro un pedazo de jabón cubierto de pelos que evito a toda costa tocar. No quiero tener nada que ver con los residuos de otras pieles, de otras vidas, tan distintas y, a la vez, tan similares a la mía en sus funciones y en su finalidad.

Una vez que me he vestido, y con el pelo todavía empapado cayendo sobre mi espalda, me presento en la cabaña del vigilante, que me abre solo tras una insistencia que ha debido rayar en la insolencia. Es un hombre de unos treinta años, moreno, con un rostro abotargado y de expresión porcina. Va vestido con pantalones de deporte y una camiseta debajo de la cual su enorme barriga es una amenaza inminente. En la cabeza lleva puesta una cachucha roja de la que brota una mata de pelos oscuros. Da la impresión de haber estado durmiendo la mona, aunque lo más probable es que este sea su estado normal, el aletargamiento que sigue al desvelo de toda la noche en un empleo así. Se me queda mirando con desconfianza, casi con hostilidad, hasta que la sutil transformación de sus facciones me indica que me ha reconocido al fin.

Me pregunta, mientras se rasca el cuello con la manaza oscura, si acaso hay una urgencia en mi cabaña. Dice eso: urgencia, sin preocuparse por ocultar el enfado que la sola posibilidad le causa. Me apresuro a tranquilizarlo y a dejar claro que lo único que quiero es saber si hay algún sitio aquí cerca desde el que pueda escribir un correo electrónico. Un lugar con internet, aclaro, como si fuera necesario. Él me responde lo que ya sé: para eso hay que ir a la cabecera, señorita, de eso aquí no hay. Le agradezco la información de todas formas, no quiero que piense que soy una grosera. Ya estoy marchándome cuando me llama para advertirme que, si voy a seguir quedándome en la cabaña de manera indefinida, es necesario avisar a los dueños. Él no quiere tener problemas, y ya ha pasado alguna vez que los visitantes se exceden en su estadía sin pagar el suplemento. Me asustan las implicaciones que la palabra *indefinido* comporta aquí, como si el vigilante supiera que no me marcharé nunca, o como si él tuviera en su poder una pieza de información que yo ignoro. ¿Qué podría haberme atraído a este país desolado sino el deseo de quedarme? Creo que fue Kafka quien lo escribió, ya no recuerdo bien.

Bajo al pueblo andando, procurando seguir la línea de sombra que procuran los árboles. A esta hora cae del lado derecho y es muy estrecha, infinitesimal, porque es casi medio día. Pronto, pienso, será inexistente, pronto no habrá ningún lugar donde ocultarse del sol. En menos de lo que lo pienso estoy ya en el pueblo, en la esquina donde debo abordar el autobús. Allí está también el cura; viene caminando por la calle como si saliera de la iglesia y con toda seguridad ha debido verme desde lejos porque me hace señas que al principio elijo ignorar. Eso no lo amilana y, tras acelerar el paso, llega hasta mí tras echar una carrera, su cabeza casi calva cubierta de ríos de sudor que le van dejando sobre la piel unos cuantos surcos transparentes. Me siento culpable por hacer que se agite de esa forma, ya no tiene edad para esas cosas. No te olvides, hija, me dice, que en dos días es la fiesta de la virgen, esa a la que te invité. Le prometo que ahí estaré. Desde el interior del autobús miro hacia afuera, al cura que se va empequeñeciendo metido en su sotana que lo arropa como plumaje de cuervo.

¿Pero en qué estabas pensando, hija, no se te ocurrió que esto podía ocurrir? No sé de dónde viene esa réplica, no sé a qué suceso hace referencia. Es como si en mi cabeza se rebobinara una cinta que no para de tocar, aunque ya nadie la esté escuchando. Un disco rayado, decía mi madre, aunque a mí, en sentido estricto, no me tocara ya esa época. Estoy de pie bajo el sol que brilla en el cenit, los otros alumnos me miran mientras yo sigo allí, con el hijo muerto entre las rodillas. A las que son como tú antes las internaban, no se andaban paseando por la vida como si nada pasara. No sé quién dijo eso, no sé quién me señaló. Cuando abro los ojos ya estoy en la cabecera, debo haberme quedado dormida durante el trayecto desde el pueblo. El autobús está casi vacío y cuando la última persona se baja el chófer me dirige por el retrovisor una mirada impaciente, lo que llaman una cara de pocos amigos. Seño, el boleto no es de ida y vuelta, me aclara mientras termina de contar con diestros dedos las monedas de lo que ha ganado en el día. Son bastantes, deben ser de baja denominación. Si quiere regresarse, agrega, tiene que pagar de nuevo.

Le hago un gesto de agradecimiento por haberme despertado y me bajo para internarme en una callejuela lateral, de terracería, por cuyo borde caminan algunas señoras envueltas en rebozos. Llevan cubierta la cabeza pese a que a esta hora ya no está haciendo frío, deben estar ardiendo allí dentro. Digo buenos días, pero ninguna de ellas se interesa en mi presencia, tal vez no hablen español. No tardo en encontrar el cibercafé, que está, como todo aquí, en la calle principal. La computadora es enorme, uno de esos modelos antiguos que ya nadie usa en ninguna parte pero que, por lo visto, son lo único disponible en este lugar. El internet es lento, pero funciona, y eso es lo importante. Le escribo a mi supervisor un mensaje en el que le digo que tengo ganas de cambiar de objeto de estudio, que quiero trabajar sobre El Retiro, que eso me permitirá, así le aseguro, hacer algo diferente. No me gusta cómo suena la palabra; *diferente,* en este caso podría parecer pretencioso o de dudosa calidad, pero lo dejo de todas formas. En letras mayúsculas, al pie del mensaje principal, le pido a mi supervisor que, de ser posible, me conteste de inmediato porque tengo difícil acceso a la tecnología. Sé de sobra que esto último es una botella arrojada al mar, pero nada tengo que perder.

No obstante, hoy, por lo visto, ando de suerte: como si mi supervisor hubiese estado frente a la máquina en ese momento preciso, sentado ante su escritorio sin hacer nada más que esperar noticias mías, la respuesta entra en mi buzón mientras todavía estoy en el cibercafé. Es porque me he entretenido avisando a Josué de que quiero quedarme un poco más en la cabaña. Hasta cuándo, eso no lo sé, pero he enviado el mensaje, segura de que ni a él ni a los dueños les molestará. El dinero es el dinero, poco importa de quién venga, y tampoco es que el complejo esté a reventar de clientes. En cuanto a mi supervisor, su respuesta está llena de evasivas, un texto más largo de los que acostumbra y en el que me pregunta al menos en tres ocasiones si me encuentro bien. Dice que, de todas formas, él no puede ayudarme porque a nadie conoce en el sitio del que hablo. Es más, aclara, él, que se precia de conocer muy bien la región, no sabía que El Retiro existía. ¿Estoy segura de que entendí bien? Me dice que tenga cuidado, que no se me ocurra ir a meterme de lleno en la boca del lobo. Supongo que la frase será una metáfora. Pienso en contestarle que no hay nada aquí que me deba dar miedo. Quiero aclararle también que, después de todo, retirar el velo que cubre lo desconocido es nuestro trabajo principal. ¿Qué quedaría de la disciplina si todos nos pusiéramos exquisitos? ¿Si nadie quisiera ir nunca al terreno que se pisa por primera vez?

Al final me limito a cerrar la página sin escribirle nada más y miro en silencio cómo la computadora se apaga y en ella aparece mi reflejo distorsionado, monstruoso, en el borde cóncavo y manchado del monitor. Aprovecho, ya que estoy en la cabecera y mi teléfono capta una señal casi nítida, para llamar a mi madre. Ella me responde enseguida. Está o finge estar alarmada: No has llamado en semanas, me dice. Eso no es posible, llevo solo algunos días aquí. Pero mi madre siempre exagera, todo tiene que funcionar a su manera: el tiempo, el espacio, la configuración de los afectos. Es como entonces, ya lo veo, Eva, está ocurriendo nuevamente, me asegura. Porque con ella todo vuelve, todo volverá siempre a lo mismo, a aquella ocasión, a mí golpeando las paredes con los puños y no queriendo atender a razones. A mí, exenta de toda razón. Mi madre me recuerda, sin que venga al caso, que durante días no hubo nada que me hiciera salir de la casa, ninguna fuerza humana que me obligara siquiera a aceptar los alimentos o a abandonar mi habitación. Que llamaba yo a gritos a alguien que no me respondía jamás. Que durante días me dediqué a emborronar cuadernos, a mirar por la ventana o a algún punto perdido en la pared. Le digo que no lo recuerdo y ella se ríe: no, claro que no puedes recordarlo porque en esos días no eras tú. *No eras tú.* La frase me desconcierta y me llena de dudas. ¿Quién era, si no era yo? ¿Quién fui durante esos días? ¿Dónde estaba la que sí soy? Mi madre, desde el otro lado de la línea: ¿Eva, Eva, sigues ahí?

8

Dedico el día siguiente a ir a la biblioteca. No sé qué quiero averiguar. Algo sobre el caserío. Sobre las mujeres que allí viven. En algún sitio debe de haber alguna mención, una nota que corrobore su existencia y que me proporcione un norte sobre su situación. Me gusta esa palabra: un norte; una dirección, una forma de orientarse. No espero, desde luego, encontrarme un censo, ni tampoco un mapa donde el caserío esté marcado en amarillo con contornos que delimiten claramente su ubicación y sus límites. Esta vez he debido de equivocarme de autobús porque el trayecto a la cabecera me resulta más largo de lo que esperaba. O será que el mundo siempre aparece diferente cuando no se está dormido, cuando todo cobra las horrendas cualidades de lo real. En cada uno de los numerosos puntos donde el autobús se va deteniendo se sube gente, se baja gente, siempre cargada de bolsas y de bultos. Todo es ajetreo por aquí y, al mismo tiempo, hay en ellos, en los lugareños, una rara parsimonia, como si el tiempo transcurriera aquí a otro ritmo. Por la ventana desfilan los cerros en sucesión cansina y suave, verdes y azules en líneas ondulantes que alternan con la geométrica simetría de los sembradíos.

La biblioteca es oscura y claustrofóbica, tan pequeña que desde ya me digo que no debo esperar encontrar gran cosa en sus estantes. Me dirijo enseguida al único mostrador y pido alguna referencia sobre la región, arguyendo que soy estudiante e investigo las tradiciones locales. Eso siempre funciona. El hombre que atiende me indica una mesa y me dice que espere allí mientras busca los libros en el interior. Detesto estas bibliotecas de estantes cerrados, como si los volúmenes fueran objetos de museo, piezas que es preciso mantener fuera del alcance general del público, algo que se puede romper y cuya pérdida sería irreemplazable, que no justifica el riesgo que se corre al ponerlos en manos inexpertas. El bibliotecario vuelve al poco rato y me entrega tres libros que hablan de las etnias que habitan en estos poblados, de sus costumbres, de sus lenguas, de cosas que ya sé. Nada del caserío, ninguna información de ningún sitio que remotamente se le pueda parecer.

Vuelvo al mostrador y le pregunto al bibliotecario específicamente por El Retiro, así, usando ese nombre, pero él se me queda mirando como si yo estuviera loca. Ya debería haberme acostumbrado a este tipo de reacción. No insisto y, en lugar de ello, le pido que me preste algo que hable de las lechuzas. Ya que estoy aquí, al menos me informaré al respecto. Esta vez la información es copiosa. Me entretengo, en particular, en los libros que hablan no de la biología de la especie sino de las numerosas leyendas y mitos que la rodean. El Deuteronomio incluye a la lechuza entre las aves que no se han de comer debido a su impureza. Los aztecas, en cambio, las consideraban guardianes de la casa oscura de la tierra, mientras que los romanos estaban seguros de que las lechuzas se transformaban en brujas y chupaban la sangre de los niños cuando estos se encontraban en sus cunas. Me sorprende, de manera particular, una historia que me encuentro en un libro de leyendas locales, misma que habla de una bruja que asola un pueblo y que, como todas las brujas, tiene preferencia por los niños. Cuando los aldeanos le dan caza deciden encadenarla precisamente en el cuerpo de una lechuza. Ella, furiosa por ese trato, vuelve de vez en cuando, siempre sedienta de venganza o de sangre y se aparece en los caminos en la forma de un ave descomunal con rostro de mujer. En algunas variantes de la leyenda el rostro del ave es el de una niña; en otras, es el de una anciana decrépita. La mujer adulta ha desaparecido en la transmisión de una versión a otra, que parece preferir moverse en los extremos de la trayectoria vital: ese momento que sucede al nacimiento y aquel otro que precede a la muerte. Por mi parte, elijo quedarme con la de la mujer en su plenitud: con la bruja que es una lechuza-mujer y no una mujer-lechuza.

Más allá, entre los estantes, unas muchachas se ríen, murmuran entre ellas como si se contaran un secreto. Yo las miro desde mi silla con fingida indiferencia, como si no quisiera contarles que aquí dice que los búhos son los guardianes de las sombras, que los antiguos creían que esas aves eran capaces de comunicase con los muertos. Es conocido el refrán: *Cuando el tecolote canta, el indio muere.* Siento que las cosas cobran un significado equívoco. Recuerdo que hace mucho tiempo leí una novela de misterio que también hablaba de una lechuza, pero yo nunca entendí muy bien la referencia a ese animal. Leo, más adelante, acerca de una divinidad maligna llamada Cachirú, oriunda de la Argentina. En el libro hay una foto que la representa: una lechuza descomunal de plumaje oscuro, con grandes garras y ojos fosforescentes. *Esta luz y sus gritos agoreros son las únicas señales que anuncian su vuelo silencioso.* Me sorprende que, según el autor, la lechuza puede alzar a un hombre por los aires, o desgarrar su cuerpo en un santiamén. Si le arrebata su alma, esta se convierte para siempre en un fantasma terrible.

Pienso en la tumba de mi abuelo, allá, en el panteón general de la ciudad en que nací, en el sonido de la bomba de agua que asocio desde siempre con la imagen de su cuerpo en descomposición. Mi madre no se ocupa de esa tumba, que ha quedado desatendida desde hace mucho. Las flores deben haberse ya podrido dentro del nicho de mármol y piedra. A mi padre lo enterraron en otro sitio, en un panteón moderno al que nunca he tenido ganas de acudir. Nunca he visto lechuzas ni en uno ni en otro lugar. Mientras estoy pensando en esto una señora y su hijo entran a la biblioteca. Escucho sus pasos, que resuenan huecos en la loza del piso de cemento. Ella es bajita, un poco gorda, y empuja al niño por la espalda para animarlo a que entre y pida por sí mismo lo que ambos han venido a buscar. La voz del niño es un susurro, se nota que no quiere o no puede hacerse oír. Les entregan un gran diccionario, desde aquí veo el lomo con la inscripción en letras doradas sobre fondo gris.

Cuando van a sentarse en la mesa que tengo justo enfrente los observo con más atención: el niño tiene el labio leporino y pronuncia con dificultad: *diccionario*. La madre asiente, pero en sus ojos solo hay cansancio y tristeza. El niño saca un cuaderno de espiral y en él anota mientras ella permanece sentada mirando al vacío. En algún momento, puesto que yo la observo, nuestras miradas se cruzan, la de ella, que supongo de una maternidad arrepentida, y la mía, que ella imaginará acaso la de una madre aún por venir. Es como si un tenue hilo nos uniera. Como si ella me dijera: Pues sí, esto es lo que hay. Esquivo sus ojos y finjo interesarme en otra cosa, y cuando ya se marchan la mujer se despide de mí con una sonrisa.

Solo entonces me acerco a ver la página abierta del libro que madre e hijo estaban consultando: la letra *H*, de un diccionario, tal como lo sospeché. Alguna tarea escolar, seguramente.

Abajo, en la misma página, leo: *Histeria: ese mal propio de la condición femenina.* Yo he estado histérica, pienso, esto podrían habérmelo preguntado a mí. Me han vaciado el útero lleno de la histeria de un hijo muerto. Expulsar al enemigo requiere siempre de un esfuerzo enorme de la voluntad. ¿Por qué he pensado eso? De pronto, saber que no he sido capaz de llevar a término el sencillo, natural acto de procrear me llena de una ira que enseguida se transforma en un pesar tibio y aguado, en un dolor diluido. Arranco esas páginas, solo porque sí. Dejo los libros allí, abiertos sobre la mesa, heridos y silenciosos animales dormidos.

A mi vuelta en el complejo campestre noto que la familia se ha marchado: ya no veo su auto por ninguna parte y en la puerta de la cabaña que ocupaban ha reaparecido el candado firmemente instalado en su cadena. Al frente, sobre la mesa para pícnics, han dejado tres bolsas con lo que parece basura, tal vez para que más tarde las recoja el vigilante. Mientras, un enjambre de moscas gordas y tornasoladas se entretiene ya en hurgar en torno al botín. Las mujeres de blanco, por su parte, han vuelto. Están allá arriba, de este lado de los columpios, más cerca del límite del área de las cabañas, como si poco a poco fueran perdiendo el miedo a penetrar en mi entorno. Las mujeres de blanco me espían. He visto sus rostros en la noche transformados en los rostros de los pájaros. Una es más alta que las otras y la he llamado la papisa, como en las cartas del Tarot. No es que yo sepa leer las cartas, pero conozco los significados de los arcanos, algunos de los secretos que sus figuras esconden. Eso, aprender a leer las cartas, es otro de mis proyectos fallidos, una de tantas cosas que ya no realizaré. A veces hablas como una vieja, solía decir mi madre. Hablas como si te fueras a morir mañana. A veces pienso que mi madre cree que vivirá para siempre, que ignora que al final de todas las vidas siempre hay una tumba.

Subo el sendero siguiendo de cerca a las mujeres, aunque no lo suficiente para que parezca que vamos avanzando juntas. Algo me dice que si alguien me viera con ellas esa sería razón suficiente para censurarme, para pensar mal de mí. Que el vigilante quizá me pediría que me marche ya mismo. Hay tan pocas cosas que pueden hacerse libremente, tanto que está sujeto a la censura y a la condenación. En cuanto llegamos al caserío la papisa me entrega una serie de pequeños cuadros de tela bordada que deben haber surgido de sus telares, a juzgar por su materia y composición. Los miro y enseguida entiendo que allí hay un mensaje que debo descifrar: la lechuza, y una mujer que quizá sea yo. Un sol del que brotan no rayos sino enormes ojos abiertos. Flores abiertas como vulvas. La tierra descolorida de la que la hierba vuelve a brotar.

Todo se renovará en su momento, me digo. Todas las religiones pequeñas creen en la virtud de los ciclos. A decir verdad, ni siquiera sé si esto último es cierto, ni si esto puede propiamente ser llamado una religión. Quizá se trate solamente de un montón de mujeres perdidas, que pasan su tiempo embaucando a la gente. No sé si lo que ellas quieren es renovarse. No sé qué papel me toca a mí. He visto ya el interior de todas las casas porque las mujeres me han hecho pasar a cada una de ellas, con la sola excepción de ese cobertizo que yo llamo mentalmente el templo, aunque no sea un templo en realidad. Lo que hay allí dentro no me lo puedo imaginar siquiera. ¿Un santo? ¿Una reliquia? ¿Una piedra preciosa que brillará bajo la luz de la luna con un hechizo capaz de matar algo o a alguien? Fue en pleno pasillo, digo de pronto, allí la sangre se me salió. Yo también tengo que recuperar lo perdido. La papisa sonríe y asiente, como si en efecto entendiera. Como si lo que acabo de contar casi a mi pesar cobrara un significado preciso, que se inscribe en la sucesión de actos trascendentes que se esperan de mí.

Vuelvo sola a la cabaña, esta vez Daniel ha estado ausente. Allí duermo mal. Sueño que camino sobre cuerpos que se pudren. Sueño que de la espalda me brotan alas. Sueño que alguien me saca los ojos y los ofrece en una bandeja. Por la mañana bajo al pueblo y tengo la impresión de que me quedan pocas cosas por ver aquí y, a la vez, tengo la certeza de que podría pasar toda mi vida en estas calles y entre esta gente sin haberlos entendido nunca enteramente. Siento que mi trabajo es inútil. Uno de los comisarios, no obstante, ha insistido en que venga a los campos, que mire cómo recogen la cosecha de la flor. Ni siquiera sabía que la cultivaban, pero al parecer así es. Son tan solo algunas parcelas, y casi todo lo que de aquí sale está destinado al mercado de la cabecera. Observo los cuerpos que se pliegan y se levantan, los rostros oscuros que resisten al sol de la tarde. La forma en que esta gente extrae vida y belleza de la tierra me apabulla. Quiero tomar una foto, pero me abstengo. Al mismo tiempo, solo puedo pensar en que hace demasiado calor, en que mis pastillas se me terminaron anoche. Una de las lugareñas, una mujer vieja de cabello entrecano, se acerca muy despacio a mí y con sumo cuidado deposita unas semillas en la palma de mi mano. Me dice que son gerberas: siémbrelas y verá. De vuelta del pueblo rumbo a la cabaña voy regando las semillas por el camino como Hansel y Gretel regaban miguitas. Germinarán cuando me vaya. Habré dejado a mi paso un reguero de flores.

9

De niña, me parecía que bastaba con querer algo y con quererlo
lo suficiente para que las cosas ocurrieran. Miraba a mi madre, a
mi padre enfermo tendido en la cama, al par de libros de cuen-
tos que ya no hacía falta abrir para que me revelaran su contenido. Deseaba que mi padre no muriera y que los libros, al ser
abiertos, contuvieran historias nuevas o distintas; tal vez deseaba
demasiado al mismo tiempo. Cuando murió mi padre lo ente-
rramos y lo que había para él y con él dejó de existir. Mi madre
regaló los libros que yo ya no leía. Eventualmente, me olvidé de
las cosas que entonces importaban. Lo que viene a partir de cierta
edad no parece predeterminado, aunque casi siempre lo sea. Se
nos figura, en cambio, una cadena de eventos donde la causali-
dad es casi lo mismo que la casualidad, como haber nacido aquí
en vez de en otro país, o haber tenido una familia normal y no
esta. Tampoco se sabe qué es normal y qué no. Yo iba a la secun-
daria, y vestía un uniforme azul y blanco que olía a plástico. No
sé por qué olía así; tal vez alguna cualidad del material sintético
y barato del que estaba hecho. Caminaba las pocas cuadras entre
la casa y la escuela sintiendo ese olor, pensando en cómo me iría
ese día, si sería mejor o peor que el anterior. Entonces una no se
pregunta nada más. El futuro es algo que apenas existe, una
tundra distante e incierta. Se sigue la corriente, igual que si una
multitud te arrastrara hacia un lugar al que al principio no tienes

ninguna intención de ir, aunque al final, ya allí, quizá pienses: bueno, qué más da, ya he llegado de todas formas.

Afuera, el cielo sobre las cabañas es una nata salpicada de rojo sobre el gris espinazo de los cerros. Llovió toda la noche y el camino entre las cabañas y el pueblo parece una charca color marrón, un pantano en el que, a tramos, mis botas se hunden hasta más arriba de los tobillos. Dejo que el lodo y el agua entren por los intersticios, que manchen mi piel a su antojo. El vigilante vino a tocar mi puerta por la mañana para decirme que los baños están inundados, que si quiero darme una ducha tendrá que ser por la tarde, cuando él haya terminado de limpiarlos. Que incluso entrar al excusado será una labor complicada. Su rostro compungido hace que me apiade: le digo que no importa, que no tengo prisa, y que de todas formas voy a estar fuera el día entero. La rutina ha cambiado: un día voy al pueblo y al siguiente subo al caserío. Lo diré así para distinguir un espacio del otro, y también porque, en sentido estricto, me parece más adecuado ese término para definir El Retiro, en el que no me toca estar hoy.

Mi presencia en el pueblo tiene, en esta ocasión, el propósito bien definido de presenciar la celebración de la que el cura tanto me habló, esa para la cual mi presencia le parecía no imprescindible pero sí importante. A mi llegada él ya está allí, ataviado con lo que supongo será su atuendo de gala: túnica blanca, casulla morada, estola color carmesí, todo brillante de tan viejo. Le pregunto si puedo sacar fotos y él dice adelante. En mi pequeña libreta anoto: *Fiesta de la Virgen, pueblo de X.*, seguido de la fecha de hoy. Me acomodo con el grupo de hombres, mujeres y niños que aguarda en una de las esquinas polvorientas donde empieza el pueblo, al lado de una pared en la que aún hay una pintada de un candidato para algunas elecciones celebradas mucho tiempo atrás. El padre me había ya explicado que debemos aguardar aquí porque la virgen ha sido llevada por la noche a una casa particular, donde ha pernoctado antes de ser devuelta al templo el día de hoy. Él fungirá como líder de la procesión durante el retorno, pero no puede entrar a la casa de la que la virgen saldrá. Le pregunto por qué y él se encoge de hombros: Así es la costumbre. Parece cansado, como si todo esto en el fondo le aburriera.

No pasa mucho antes de que desde el fondo de la calle suba ya la romería con su preciosa carga a cuestas: una virgen llorosa que los hombres llevan en andas, según corresponde a su estatus y alcurnia. No sé de qué virgen se trata, qué atributos se esconden detrás de su rostro blanco de cera y de su trenza pulcramente colocada de lado, bajo un velo cubierto de estrellas doradas. De sus ojos claros sin consciencia brota un brillo de atávica cerrazón. Su corazón está vacío, pienso. Sus ojos nada ven. Me explican de nuevo que esta virgen solo es sacada una vez al año, en este mes en particular, siempre para alojarla con una familia diferente. Me la imagino, a la virgen, despertando de pronto de su letargo entre unos muros que no conoce, escrutando con espanto los objetos que, porque le son ajenos, cobrarán acaso la cualidad de las maravillas.

Gloria a ti, madre nuestra, dice el padre, y desde detrás de la corona de la virgen relumbra un sol como un halo. Gloria a ti, madre amantísima. Me parece que la virgen baja la vista para mirarme, que su pupila vacía se clava en mi rostro sudoroso, que desde allí debo parecerle una persona irreverente. Nunca fui alguien de mucha fe, y supongo que para estas alturas debo haberme condenado para siempre. Aunque nunca es tarde; siempre hay una ventaba abierta para el que se quiere reivindicar.

Empezamos a avanzar despacio, al ritmo de una tambora que marca un compás cansado pero rítmico. Unas cuadras más adelante, al doblar la esquina un ser brota de pronto de la penumbra del callejón. Va vestido de diablo; no sé cómo han hecho el disfraz, pero es horripilante. Las astas de chivo que lleva por cuernos se le enroscan hacia atrás en esas curvas que, dicen, prefiguran las proporciones áureas o según qué números mágicos. Le han echado sobre los hombros una zalea y le han embadurnado piernas y torso de sangre fresca, espero que de animal. Tiene el cabello revuelto, repleto de lodo y de coágulos. Huele a establo, y todo en él grita pestilencia. Baila un poco a medida que se mueve por la calle, siempre a un costado de la procesión, agitando los brazos en contorsiones espasmódicas y malignas. En los pies lleva unos zapatos corrientes, pero estos resuenan en el empedrado más que si se tratara de pezuñas.

Ahora está justo frente a mí, y allí se queda, quieto, expectante; parece que me mira con alguna intención concreta, de duende de las sombras. Pienso que va a decirme algo, pero en lugar de eso las líneas de su boca se tensan en una mueca en la que leo un callado terror. Pero ha sido solo una fracción de segundo y he aquí que, como si saliera de un trance, el diablo se mueve ya de nuevo y se desentiende de mí para lanzarse dando brincos calle abajo, avanzando hasta al siguiente grupo de fieles, en este caso una mujer con dos niñas que chillan al verlo así, tan de cerca, amenazando con tirarles de las trenzas o con llevárselas directas al infierno. Las miro, a las niñas, que se esconden detrás de la falda de su madre hasta que la espantosa visión se aleja calle abajo al ritmo de la procesión que en ese momento alcanza la iglesia. Siento en la boca un regusto a cobre, lamento no haberme traído mi botella de agua. Entro con la gente a la nave a oscuras, para entonces ya repleta del humo del incienso y del olor de las velas. Vuelvo a salir unos minutos más tarde sin que, por fortuna, nadie repare en mí ni en mi ausencia.

A mi regreso del pueblo, y pese a que estoy cansada, subo de nuevo al caserío. Encuentro a las mujeres de pie, todas en círculo alrededor del claro de hierba, mirando de frente y fijamente la capilla que permanece cerrada. Pido permiso para entrar, pero se me niega de una forma que me parece rotunda. El templo aquí, pues, me está vedado. No debo describirlo así, ya lo sé. Ni siquiera estoy segura de que esa sea la función que se le asigna. Yo mejor que muchos debería saber que imponer mis categorías no tiene sentido. Supongo que todo se aclarará cuando haya mirado, pero cada vez que lo señalo recibo una negativa, o una respuesta en la que está contenida una clara evasiva. También es cierto que no sé cómo referirme a ese sitio de otra manera; que lo que digo y hago parece sacado del manual de etnografía que he traído conmigo, mis notas una codificación que en el fondo oculta lo esencial. Pienso en las muchas diferencias entre lo que me encuentro en el caserío y lo que acabo de ver allá abajo en el pueblo. En las muchas formas, tan distintas, que tiene la gente de proteger eso que le parece sagrado. ¿Esto será sagrado? En realidad, no lo sé. Daniel está sentado a la sombra y se abanica las moscas con un pedazo de cartón doblado, como un extraño querubín caído. Me sonríe de lejos, como los dos viejos amigos en los que en cierta forma nos estamos convirtiendo.

Por la mañana veo que las mujeres me han traído pan. Está en mi puerta, envuelto en una servilleta bordada con figuritas en punto de cruz. Es una hogaza grande, larga, un poco oscura y de consistencia porosa. Sé que han sido ellas, las mujeres, aunque a decir verdad no las he visto ni oído llegar a la cabaña. Me lo como, aunque sabe amargo, y al tenerlo en la boca mi saliva se espesa con el regusto de la hiel. Empiezo a sentirme mal menos de media hora más tarde. Contemplo mis manos, mis dedos sobre los que brotan algas, pequeños tubérculos que ante mis ojos estallan en desesperada y bulbosa floración. Soy parte del mundo florecido, de las cosas en expansión perpetua. En el encalado del muro distingo animales salidos del jardín de las delicias terrenales: un sapo al que le brota una cresta del lomo cubierto de bubas; un ciempiés que cruza el cuarto deprisa, agitando sus patitas peludas.

Me han puesto algún alucinógeno en la comida, escribo en mi libreta. *Me pregunto qué podrá ser*. Psilocibe, datura, beleño, hasta marihuana, por qué no. Los campos están allí, escondidos en los cerros, o eso he oído decir. Me tiendo sobre el piso de la cabaña a mirar pasar a través de los muros la noche alucinada. Alguien quiso abrir alguna puerta, como diría Pizarnik. Ese alguien tal vez sea yo.

*

La extensión de los cerros llega más allá de donde mi vista alcanza. Esta mañana he trazado un dibujo de ese perfil montañoso, una larga línea que ondula y repta en zigzag y luego se pierde en el borde de la hoja que es también aquí el borde del mundo. He cubierto el interior de los contornos de delgadas líneas inclinadas hacia la izquierda para simular las sombras, y de pequeños arbolitos como los que dibujan los niños a lo largo de lo que pretende ser la cuesta. Al final, parece una mancha de tinta, todo se ha perdido en el proceso de querer crearlo. Mis dibujos son horribles, todos ilustran algo que no existe. No obstante, Daniel, que ha venido más tarde a visitarme, ha señalado el dibujo nombrándolo con la palabra que la gente de por aquí usa para referirse a la cordillera: el monte, ha dicho. Y acá, el camino.

No sé si se burla de mí. No sé si él y yo vemos algo que los demás no. Si él y yo también podríamos estar unidos por algún lazo carnal. Me alegra que ahora podamos comunicarnos de mejor forma. Le pregunto si sabe qué había en el pan que me trajeron, y lo único que recibo por respuesta es una risa escandalosa que espanta a los pájaros. Espero que el vigilante no nos haya oído; tengo la impresión de que ya no me quiere aquí, que mi presencia, por alguna razón, empieza a incomodarlo. Sentada en el pasto lleno una página nueva de dibujos de círculos concéntricos, de triángulos invertidos, de los signos aciagos del futuro o del infierno. Los llamo aciagos, aunque en realidad sigo sin saber qué significan; todos mis intentos para que Daniel me cuente algo de los trazos son inútiles, como si en cuanto tocara yo el tema cayera entre nosotros un velo de silencio, el mismo que cubre a las mujeres del caserío, un voto extraño de monjas sin orden ni pertenencia eclesial.

Anoto en mi libreta: *Histeria: el mal que se tiene cuando se es mujer.* ¿Sabías que a las histéricas las metían en los manicomios, las encadenaban a las paredes, las confundían con las locas?, le digo a Daniel, pero él no me responde. Está ocupado trazando líneas en la tierra con el dedo índice de la mano izquierda, y se entretiene mirando en la tierra la silueta de su propia sombra. Claro, qué puede él saber de esas cosas, qué puede él saber de nada. Las histéricas no eran locas, insisto, pero no hay manera de llamar su atención. Se rasca el pelo, que hoy encuentro más blanco que otros días y entre cuyas hebras albas me parece ver pasar uno o dos piojos huidizos. De niña, yo también tuve piojos. Mi madre me los sacaba a tirones para ahogarlos en un barreño. Sobre sus cuerpos apachurrados yo dibujaba una pequeña cruz para garantizar que las almas de los animalitos se fueran al cielo, aunque a mi madre eso le pareciera una blasfemia. Anoto en mi libreta: *Yo también soy una histérica.* Yo también soy una loca. Yo también tengo piojos. Más abajo: ~~Ya no qué quién soy.~~

El sol cae a plomo sobre el complejo campestre, ya no podemos estar a cielo abierto. Dentro de la cabaña le ofrezco a Daniel un poco de pan y de queso. Es lo único que me queda en el frigobar. Tuve que tirar el resto de mis víveres esta mañana, o tal vez la de ayer, tras descubrir que todo se había llenado de hongos. No puedo con este frigobar, mis intentos por lavarlo se enfrentan a la realidad de su miseria, a la recurrencia de alguna infección incurable, una metástasis o una gangrena, un mal antiguo y tan arraigado que ninguna medicina, me temo, podría repararlo ya: he llegado demasiado tarde al lugar de la hecatombe. El muchacho se come el sándwich despacio, moviéndose por toda la casa a modo de un animal salvaje que, por lo mismo, no sabe estar enjaulado. A su paso va dejando en el piso migas que terminarán por atraer a las cucarachas, a las moscas, a los ratones. Las levanto con las manos y las voy juntando en la palma hasta que vuelven a formar, por obra de la magia y habilidad de mis dedos, el sándwich del que han surgido, algo grotesco que es un remedo de alguna imperfecta creación. Cuando Daniel se marcha tiro a la basura mi gólem fallido. Del interior de la sala se levanta una especie de zumbido, esa vibración que ya he escuchado antes y que cesa en el instante mismo en el que cruzo el umbral de la puerta que divide a una habitación de la otra. Como cada noche, volteo el cuadro para mirarlo de nuevo: el centro luce más oscuro, los bordes más difuminados, la piel de la mujer en la parte media del lienzo extrañamente más opaca, cubierta de rayitas, como si le estuvieran brotando escamas o plumas.

10

En el pueblo se ha muerto un niño. Mi presencia allí tras el suceso ha sido casi una coincidencia. Si he podido estar presente en el velorio es solo porque una de las mujeres me reconoció mientras yo vagaba por las calles aledañas a la iglesia; no recuerdo qué estaba haciendo allí, y supongo que no importa, aunque tengo la vaga idea de haber venido porque necesitaba hablar con alguien, con el cura tal vez. Me avergüenza un poco decirlo; no soy, nunca he sido, de las que se vienen a confesar, mucho menos de esas que esperan del cielo una absolución. La mujer me ha salido al encuentro casi frente al puesto de comida en el que me he detenido una o dos veces desde aquella primera vez y al verme ha dicho: Ven, señorita, la muerte ha puesto su pie aquí, entre nosotros, y seguro que te puede interesar.

La sigo por las calles retorcidas que ascienden la cuesta detrás de la iglesia, pensando en qué clase de persona debo parecerles, así, tan obviamente interesada en cosas como la muerte y el dolor ajenos. Detrás de la iglesia, más allá de las casas, hay un terreno de milpas que se alza en declive, las plantas en violenta proyección como juncos terrestres, tan apretados en algunos tramos que da la impresión de que entre estos apenas pasara la luz. Las mazorcas ya están maduras, en algunos casos sus cabezas son de ese color morado que tira al negro. ¿Seguro que es por aquí?, pregunto, con la ingenuidad o la altanería del que pone en duda el saber de quien siempre ha vivido en este sitio. La mujer no me responde y la sigo en silencio, sin preguntar nada más, andando por un seto oculto entre los maizales, siempre tratando de que las hojas o las varas no me arañen el rostro o los brazos. Temo, también, que nos topemos con una serpiente, he oído que hay algunas ocultas en los recovecos, esperando una oportunidad.

Un espantapájaros hecho de trapos vigila en medio de las milpas retorcidas, aunque me doy cuenta de su presencia solo cuando ya hemos terminado de atravesarlas. A menudo ocurre eso: descubrimos los detalles solo cuando somos capaces de mirar en la distancia, distinguimos las formas únicamente de lejos. La gente se ha reunido aquí, en casa de un familiar del difunto, porque al parecer esta vivienda es más grande que las casas del centro del pueblo y se les puede acomodar mejor. Esto, a decir verdad, son propiamente las afueras y, por lo mismo, yo poco me he adentrado por estos lugares. La casa es como todas, de tabique y adobe, con un corral al fondo y un cobertizo con techo de lámina. Al frente picotean la tierra algunas gallinas medio mustias. Parece justo lo que es: una casa en el monte, en un rincón perdido del mundo.

Las mujeres se notan sorprendidas de verme y me observan con una atención que encuentro excesiva. Yo me limito a inclinar la cabeza a modo de saludo y ellas me responden inclinándose también. Al fondo, en el cuarto adyacente, está el niño muerto. Es apenas un bebé. Lo han colocado en una mesa, sobre un petate, como en una de esas películas donde le hacen la autopsia a un cuerpo sobre una plancha de metal. Apenas puedo ocultar el choque que esto me causa: esperaba un niño mayor, en un ataúd, cerrado de preferencia. Esperaba, sobre todo, algo que ocultara a la vista de todos la vergüenza de ser solo un amasijo de carne que se pudre. El pequeño está desnudo, y desvío la mirada al ver su cuello morado, como si lo hubieran tratado de estrangular. Una larga mancha negra le corre a lo largo del costado y se pierde allí donde su espalda entra en contacto con la tosca palma del petate. Debajo de la mesa alguien ha trazado con sumo cuidado una cruz de ceniza. En todo el contorno del piso, junto a las patas de la mesa, las veladoras brillan en profusión de iglesia, alumbrando con su resplandor amarillo una cama de cempasúchiles y gladiolas. Me parece entender, por la cruz de ceniza y por los cuchicheos que alcanzo a escuchar a mis espaldas, que se atribuye esta muerte a una causa sobrenatural.

Más allá de la cruz corre un hilo de hormigas oscuras, gordas, extrañamente repulsivas. Siento el leve comienzo de un dolor de cabeza. Puedo escuchar a mis espaldas los murmullos de las mujeres que hablan entre ellas, pero no para mí. Cuando me giro y les sonrió se quedan calladas, como si mi sola presencia las ofendiera. Tal vez así sea. Tal vez venir haya sido un error garrafal. Me alejo del cuerpo sintiendo que alguien me mira de reojo. En un arranque no sé si de paranoia o de lucidez temo que se me culpe de esta desgracia; no sería la primera vez que ocurra algo así. No sería yo la primera fuereña a la que el pueblo ha decidido linchar a modo de venganza colectiva. Me acuerdo de aquel episodio en un pueblo semejante a este, hace muchos años, Canoa se llamaba. Ocurrió antes de que yo naciera, pero es de esas historias que, por su impacto, pasan a ser algo intemporal. Tengo una imagen mía, de mi cuerpo destruido, de mis restos flotando en la corriente de algún río o en el fondo de una barranca.

Pero esta gente no haría eso, no lo creo. Si a alguien ha de tenérsele miedo en esta casa ese alguien probablemente sea yo. Cobro conciencia, no obstante, de que estoy aquí, sola, en un cuarto lleno de gente que no conozco, velando a un niño por el que no siento, por el que no puedo sentir ningún amor ni ningún pesar que pueda ser considerado genuino. Pienso, por contraste, en el niño muerto que yo no velé. En el pedazo de carne que salió de mis entrañas y no tuvo ni oración ni despedida. Hace frío aquí dentro, digo. Vengo vestida con mi camiseta y mi único pantalón corto, con mis botas lodosas, un atuendo inadecuado en todos los sentidos, aunque a nadie parece importarle. Lamento no haberme traído un suéter. Es verdad que estas casas de adobe suelen tener la ventaja de mantenerse frescas, incluso cuando más pega el sol. Hay también en el aire, o así lo siento, una carga de humedad muy vieja, que surge de las grietas de los muros, o tal vez de otro suceso, de algo que no se ve.

No sé qué pasó aquí, qué le pasó a este niño. En mi diario de campo anotaré, bajo el rubro *Rituales: Visita el día de hoy a un velorio tradicional.* No mencionaré que tuve miedo. Quisiera saber cómo murió realmente el niño, pero me da pena preguntarlo, no me parece el momento. Tampoco sé cuál de estas mujeres es la madre. Es difícil adivinarlo porque todas lloran con idénticas lágrimas en idénticos rostros, todas tienen grabada en los ojos oscuros la misma congoja infinita. Plañideras, pienso, aunque ninguna va vestida de negro ni parece estar fingiendo ese dolor. Llama mi atención, al fondo del cuarto y colgado del muro, un tapiz con una imagen que en cierta forma me recuerda a la del cuadro que tengo en la cabaña: una mujer en el centro rodeada de inmensos pájaros blancos. Pero en este la imagen es clara, la mujer va vestida con una túnica y el cuadro es más pequeño. Se muestra, al fondo, un paisaje en el que también aparece un volcán.

Es una imagen curiosa, y quiero acercarme a examinarla de cerca cuando una de las mujeres me detiene para extenderme un jarro lleno de humeante café. ¿Te gusta aquí, señorita?, me dice mientras yo tomo el jarro entre mis manos ateridas. El calor que emana de él es un alivio. La mujer ya es mayor, de cabello canoso y ojos profundos. Su pregunta no parece retórica, es un interrogante en el sentido más literal. También leo, en el desparpajo de sus movimientos y en la chispa contenida de sus ojos, que ella no es la madre ni ninguna parienta cercana del niño que se murió. Que ella está aquí para esto: para traer café y ver que todo marche como debe. ¿Cómo deben marchar las cosas en un evento así? También puede ser que la muerte sea aquí algo cotidiano, que se recibe sin hacer aspavientos. Sonrío y digo lo de siempre, alguna tontería sobre la naturaleza, sobre lo bonito que es todo aquí. Ella asiente y me pregunta cómo es allá, de donde yo vengo. Contesto cualquier banalidad, algo sobre lo caro que es todo, sobre la gente que a veces no es amable, esos tropos que buscan dejar claro que, aunque allá no es aquí, tampoco es necesariamente un lugar mejor. Ella asiente, como si con lo poco que acabo de decir bastara, y tras el breve intercambio ni ella ni yo intentamos hacer más conversación.

Empiezo a sentirme mareada. Veo entre los aquí reunidos a un par de personas a las que conozco, a las que ya he venido a entrevistar en los días previos. Ellos me miran e inclinan un poco la cabeza, como si me recordaran también, aunque ninguno se acerca a saludar. Observo los muros de la casa, encalados hasta una altura de casi medio metro del suelo, supongo que para mantener a raya a los bichos, veo las grietas que se alzan desde el piso de tierra como pequeños mapas de un territorio ignoto. Miro luego el interior de mi taza: un largo cabello blanco flota enroscado en el turbio líquido color marrón. Luego, ante mis ojos, el pelo se transforma en una lombriz finísima que se agita y ondula como un flagelo en el suero primordial. Me invade una oleada de nauseas tan fuerte que tengo que llevarme a la boca la mano para no vomitar.

¿Estás bien, señorita?, pregunta ahora la anciana, que se ha acercado de nuevo y me mira con intensidad, como si sospechara algo. Siento su olor a hierbas, a tierra y a campo. Retrocedo sin pensarlo, no con afán de ofenderla sino por instinto. Me disculpo argumentando que en estos días no me he sentido bien. No sé si estoy siendo grosera, pero las mujeres asienten, comprensivas, las caras parcialmente escondidas entre la tela de sus rebozos. Veo que el motivo de mi presencia las desconcierta. El que yo esté aquí, antes y ahora, es algo que no entienden. Mi madre tampoco lo entiende. Piensa que esta profesión no me va a llevar a ningún lado y probablemente no le falte razón. Ya no quiero mi café, pero no hay lugar donde ponerlo además de sobre la mesa donde descansa el cadáver. Tómatelo, Eva. Es de muy mala educación hacer lo que estás haciendo, me dice una voz que no es la mía pero que viene de algún lugar secreto, de ese hueco perverso horadado en mi interior. ¡Tómatelo ya! Tú fuiste la que quiso venir, así que no hagas esto. Estoy de espaldas a las mujeres, pero ello no me impide saber que ellas continúan mirándome, que me devoran con esos ojos penetrantes de buitres al acecho. Que tal vez esperan que me mueva, que haga algo, que me corte la cabeza de una vez. Aprieto el jarro tan fuerte que temo romperlo.

Miro de nuevo el interior turbio: la lombriz ha desaparecido, solo queda ese enorme pelo blanco que flota, brillante, y se hunde al fin en la espesura de los posos color marrón. Quizá sea el efecto del cansancio, de toda esta gente junta, del olor a flores y a copal que invade la estancia como la ponzoña o el verdín. En ciertas culturas el pelo es el repositorio del alma, tal vez porque sigue creciendo cuando todo lo demás ya no. Me llevó el jarro a los labios y bebo hasta tragármelo todo de un tirón. El pelo se me enreda entre los dientes y pienso en escupirlo, pero me aguanto. Si me va a brotar otra alma, que me brote de una vez. Tomó una gran respiración y solo entonces veo el enorme crucifijo detrás de la puerta, la cubeta con agua y las tijeras abiertas en ángulo. Hasta yo creo entender lo que eso significa. Alguien dice, como para que me quede claro: Tenemos que protegernos de la bruja, señorita, la bruja ya bajó una vez y la bruja volverá. La bruja siempre vuelve. La bruja no se conforma con un solo niño. La bruja mata por puro placer. La bruja roba la vida y nunca la da.

Me acuerdo de las lechuzas, de lo que leí ayer, o antier, o ya no sé cuándo. El Cristo del crucifijo tiene las costillas marcadas y los ojos oscuros, como un endemoniado. Tengo la impresión de que los objetos a mi alrededor se desvanecen, de que los muros están hechos de aire o de agua. De que no estoy aquí, en esta casa en las afueras del pueblo, sino en otro sitio que no puedo o no quiero identificar. Que la sangre me corre de nuevo entre las piernas doloridas por el espanto. *Espanto: lo que les da a los niños pequeños por efecto del mal de ojo. Mal de ojo: la fuerza maligna que emana de aquel que ve hacia un otro que es visto. Encantamiento que tiene que ver con el poder de la mirada.* Las risas estallan en mis oídos y pienso que no van a callarse jamás. Siento que me ahogo, como si mi diafragma se paralizara. Salgo corriendo de la casa y vomito copiosamente, de pie sobre la hierba reseca que huele a quemado, frente a las milpas que son mi testigo y mi juez. Vomito, mientras los deudos me miran desde dentro con la boca apretada, los ojos abiertos, en sus rostros una mueca de indignación y de asco.

11

No volveré más al pueblo. Después de lo que ha ocurrido no me atrevería. Es culpa de las pastillas o, mejor dicho, de la falta de ellas. He sido descuidada, no he contado con que duraran tan poco. ¿Cómo ha podido pasarme? Creí haber contado la dosis exacta para tres semanas, tal vez de verdad estoy perdiendo la noción del tiempo. No me levanto de la cama en días, no sé cuántos. Mi reporte yace inacabado en algún sitio, interrumpido prácticamente antes de comenzarlo. Las notas tomadas en campo no cuentan; a lo espontáneo hay que colocarle siempre un armazón, hacer que lo banal se vuelva trascendente por obra y gracia de la clasificación de los datos. El día en que me presente ante mi supervisor tenderé las manos desnudas, abiertas, ofreceré la nada que construí. Me he marchado de este pueblo que apenas conozco como algunas personas se marchan del sitio en el que nacieron: con un poco de vergüenza y, al mismo tiempo, con el alivio certero de que esa relación haya llegado ya a su final. Me consuela pensar que esto ni siquiera fue una relación y, si lo era, se trataba de una cuyo carácter siempre fue unilateral. Nada entre nosotros se podía compartir.

Y están pasando cosas extrañas: la libreta ha desaparecido, como si alguien quisiera robarme la llave, despojarme del secreto antes de que yo encuentre la clave que me permita conocer los contornos del misterio. La he buscado en todos los rincones de la cabaña, en el armario del cuarto vacío, entre mi ropa colgada, en los rincones donde las telarañas han vuelto a crecer semejantes a una invasión de hiedra desflecada. He vaciado, por último, las alacenas de la cocina, lo que ha tenido la inesperada ventaja de permitirme encontrar un par de cebollas podridas (lo que explica el mal olor que en ocasiones he sentido), una bolsa de arroz vieja y unas cuantas latas de atún. El atún me lo como frío esa misma tarde, directamente de la lata, y el arroz lo cocino en la hornilla. Cuando la enciendo, despide una lumbre bajita y azulina que hiede a gas. Me pregunto cuánto más durará el pequeño tanque que trajimos, cuánto pasará antes de que eso también se agote.

Ese arroz constituye mi principal alimento durante algunos días, junto con el pan que las mujeres me siguen trayendo cada mañana de manera regular, casi religiosa, diría yo. *Religare: lo que une aquello que se ha apartado.* Esa definición uno la encuentra en cualquier parte, pero recuerdo que alguno de los profesores de la facultad dijo una vez que no es verdad, que la palabra simplemente indica el vínculo intenso con la divinidad: *Acción y efecto de ligar fuertemente con Dios*, decía en el diccionario cuando yo misma lo busqué. El pan ya no tiene en mí el efecto de antes, como si todo fuera parte de un proceso al que me empiezo a acostumbrar o de un encantamiento cuyos alcances se agotan. Las mujeres de blanco me están preparando para algo, me digo, aunque aún no sé para qué. Por eso, la ausencia de la libreta me pone nerviosa: será como entrar en aguas profundas sin tanque de oxígeno o tabla de salvación.

Y he visto que Daniel me espía. Esta mañana, mientras me lavaba para sacarme de encima la mugre y esa especie de sopor de días, tuve el atisbo de su cara alargada y blanca asomada en el rectángulo de luz que se forma en la puerta del baño. No me importa realmente que Daniel mire, esa es la verdad. No tendría sentido fingir ante alguien como él un pudor que no siento. Si algo me preocupa mientras estoy desnuda en aquel cubil de muros de cemento y piso oloroso a cloro es que Daniel pudiera filmarme; hoy todo el mundo tiene un teléfono celular, hoy todo el mundo se cree poseedor de lo que esa retina artificial registra. Me imagino mi imagen poco agraciada circulando por las redes, mi cuerpo quemado por el sol en cara y extremidades, y lechoso en nalgas, espalda y todas aquellas partes que la ropa oculta. Anoto en mi libreta: *Mi cuerpo es una aberración.*

Por fortuna Daniel no tiene nada de eso, ni cámara ni teléfono ni redes sociales. Tampoco me parece factible, para empezar, que pudiera conseguir siquiera una conexión a internet. Esas veleidades están más allá de su alcance. No sé si sentir pena o envidia de ese aislamiento suyo, ese ignorar cualquier forma de entretenimiento que pudiera venir a echar a perder su pequeño paraíso impoluto. Pienso también que en este caso se trata de un aislamiento impuesto; que no hay virtud allí donde no se ha tenido otra opción. Más tarde, cuando nos encontramos en la zona del pícnic, le ofrezco mi celular para observar su reacción, pero tras un rato de jugar con el Tetris (lo único que tengo allí dentro), Daniel se aburre y me lo devuelve, como quien aceptara un regalo nada más por cortesía, pero decidiera deshacerse de él al reparar en que no tiene para semejante extravagancia ningún uso real.

Le muestro entonces un par de fotos: en una aparezco yo sonriendo al lado de otras dos chicas; en otra, estoy sentada a solas en un restaurante. Las fotos las tomé yo misma, recuerdo bien esa ocasión. Me veo guapa, bien peinada, llevo incluso un poco de maquillaje. Supongo que por eso las conservo: uno no lucha por guardar de sí sino los trozos más memorables, esos que con paso de los días y las semanas van cobrando la extraña perfección de lo perdido. Le digo, pasando de una foto a la otra: Esta soy yo, estas son unas amigas. En realidad, se trata de unas chicas de la facultad de cuyos nombres apenas me acuerdo, pero supongo que eso no tiene importancia, no para Daniel, ni tampoco para mí. A Daniel le brillan los ojos y sonríe. Las facciones del muchacho son finas, no lo había notado; lo que es más, así, sonriendo y bajo esta luz, podría resultar casi atractivo pese al defecto de la piel.

Apunta con un dedo índice pringoso como los de los niños a mi melena suelta en la foto, a mis labios pintados, se nota que le gusta lo que ve. Luego, para mi sorpresa, y quizá en retribución por mi gesto y por lo que acabo de mostrarle, se pone a cantar, aunque no exactamente palabras, no exactamente un canto. Lo que sale de la boca de Daniel es una salmodia hecha de inflexiones en una voz trémula y algo gutural. Pienso en esos cantos de los pueblos aborígenes o de los monjes tibetanos. Me pregunto qué es lo que estará siendo comunicado y a quién. Aquello es, al mismo tiempo, una suerte de jaculatoria, de protomonólogo y, no sé por qué, me acuerdo de algo que he leído acerca de la forma en que se comunican entre ellos los chimpancés. Siento tristeza al darme cuenta de que he pensado en Daniel de esa forma. No se lo merece. Mientras lo miro y lo escucho cantar me pregunto si lo habrán llevado alguna vez al médico. Si lo que tiene es reversible o si era en su momento evitable. Alguna forma de autismo es mi sospecha, aunque no podría asegurarlo. Y en cierta forma ese estado de anormalidad lo salva: de no ser Daniel lo que es, para estas alturas ya lo habría tal vez reclutado el narco. Ya estaría su cuerpo abonando las milpas. Ya habría migrado a la ciudad y estaría pidiendo limosna en alguna esquina.

Más tarde, cuando Daniel ya se ha marchado, lavo mi ropa utilizando la cubeta y el agua del tambo del baño. Mi ropa está asquerosa, tiesa en los brazos y en la entrepierna. Tiro el agua sucia sobre el pasto y cuelgo las prendas sobre las bancas y sobre la mesa del pícnic. No es muy higiénico, es cierto, pero me tiene sin cuidado, y de todas formas no hay nadie que pudiera ofenderse, nadie ha venido en días, siempre puedo quitar las prendas deprisa si alguien apareciese por aquí. Desde la caseta solo el vigilante me observa con desaprobación de inquisidor, en sus ojos dos llamas acusadoras capaces de encender por sí mismas una hoguera. Me hace señas con la mano, pero finjo que miro para otro lado. A la distancia el camino parece agua que riela. Cada vez que parpadeo me duelen los ojos. Los mantengo cerrados todo lo que puedo para evitar el ardor.

*

Ayer dejé que Daniel me tocara. La perversidad del hecho ha sido la sola motivación del acto. Le pedí que entrara a la cabaña, so pretexto de solicitar su ayuda para volver a colgar el cuadro en su sitio. Me pareció más pesado de lo que lo recordaba y, cuando al fin pudimos instalarlo, los ojos de Daniel se clavaron en la escena, en los ojos fulgurantes de las aves que rodean a la mujer, en el cuerpo plumoso de esta. Con un dedo Daniel señaló el rostro femenino: era verdad, algo estaba desapareciendo allí, siendo reemplazado por otra cosa, como si la mujer se estuviera camuflando con su entorno.

Conduje luego a Daniel de la mano hasta mi habitación, hasta la cama sin tender, rodeada de ropa tirada por todas partes.

Le hablaba muy quedo todo el tiempo, temiendo que empezara a gritar, como si yo fuese su secuestradora. Era preciso que Daniel no gritara: en los gritos, como en muchas otras cosas, lo difícil es comenzar. Una vez que estuve segura de que no lo haría me quité la ropa, me acosté en la cama con la espalda recargada sobre el muro y las piernas muy abiertas y le señalé allí, la grieta entre mis muslos. Él retrocedió, asqueado ante la humedad viscosa de mi vulva, ante su aspecto de molusco, de cosa marina. Con mi mano lo guie para que tocara, por encima, por adentro, y él obedeció, manso y tranquilo, sin mirarme nunca a los ojos, más bien como distraído por algo que ocurría no entre los muros de la habitación en la que nos encontrábamos sino allá afuera, más allá de la cabaña, entre las ramas de algún árbol lejano. Se me ocurrió que tal vez aquello que ocupaba la mente de Daniel estaba de todas formas en un sitio muy distante, al que ni yo ni ninguna otra persona podría tener acceso jamás. Tuve la impresión de que los sentidos del muchacho eran los de una bestia, un animal no al acecho sino temeroso del predador.

A fuerza de frotar la carne, de mi boca brotó al fin un gemido, y cuando mis temblores se aplacaron aparté al muchacho despacio, procurando en todo momento no tratarlo con brusquedad. Sé que lo utilicé, eso no lo escondo, y lo menos que podía hacer era mostrarle mi gratitud con una sonrisa. Él dejó exhalar una risa dolorosa en la que me pareció detectar un dejo de arrepentimiento. Lo miré llevarse los dedos a la nariz. Cuando los olió el rostro se le contrajo en una mueca grotesca en la que no supe si leer horror o simple sorpresa. Entonces, inesperadamente, su mirada se clavó en la ventana y su rostro se transfiguró, su cuerpo todo se contrajo como una herida en carne viva. En la cara de Daniel la boca se abrió para exhalar un grito que se le congeló en un rictus de espanto. Se levantó de un salto de la cama y echó a correr, asustado no por mí o por lo ocurrido sino por otra cosa, como si acabara de cometer una transgresión, la violación de un tabú inmemorial que solo él conociera pero que de alguna forma nos afectaba a los dos y cuyas consecuencias eran ya inevitables.

Por la noche vi aparecer detrás de la ventana a la enorme lechuza blanca, la más grande, circunvolando en amplios y feroces círculos el contorno de la cabaña. Permaneció allí hasta el amanecer, al acecho de no sé qué pesadilla. La escuché marcharse solo cuando los primeros rayos del sol entraban ya por entre las cortinas, proyectando en el muro del fondo una sombra encorvada que al moverse provocaba un traqueteo en la madera y en las tejas. Eso fue hace tres días y ahora sé que Daniel no volverá, que a él lo he perdido también. Que, si volviera, la lechuza le impediría la entrada. Que lo que ha pasado fue un error. No es que yo le tenga cariño a Daniel, no necesariamente, pero solo ahora me doy cuenta de hasta qué punto su presencia y la posibilidad de esa presencia aligeraban mi estancia. El ave se marchó con un largo ulular, emitiendo un graznido que recordaba a una risa de bruja. La vi alejarse desde la cama, tendida entre mis sábanas húmedas, mi piel tan caliente como si esto fuera la boca del infierno.

Una de las mujeres viene a verme más tarde. Me dice que suba, que me esperan. Me siento débil, pero sé que he de ir. Debo acudir, siquiera para pagar el precio de lo que he tomado y roto sin querer. El camino está lleno de pequeños charcos oscuros, de aguas exangües y estancadas. No sé cuándo ha llovido, pero debió ser abundante. Contrario a mis miedos, las mujeres me reciben como si nada, tal vez todos mis temores existan solo en mi imaginación. No obstante, Daniel no está por ningún lado y cuando pregunto por él las mujeres se limitan a sonreír y en sus sonrisas me parece detectar una fila de pequeños colmillos afilados que relumbran debajo de sus narices similares a picos. Brujas. Eso he pensado. Las brujas no existen, pero se me ha ocurrido de todas formas. Si lo son, las he tenido frente a mí todo el tiempo, cómo no lo supe ver. Pero las brujas de mi niñez tenían gorros, hacían cacle, cacle, no se convertían en nada terrible.

Una de las mujeres me tiende un cuenco lleno de una pasta humeante y de color verdoso, y esta vez me lo llevo a la boca como una pupila obediente. Dejo que los colores cambien, que el calambre que me viene tras la ingesta invada mi cuerpo perplejo. Despierto en la cabaña, bañada en sudor y sobre un charco de mi propia orina. Ni siquiera me molesto en limpiarla. Lo que realmente me molesta es que mi teléfono se ha mojado, no sé exactamente cuándo o con qué, y cuando intento encenderlo solo obtengo un pequeño resplandor que se apaga al instante. Tambaleante y con la vista aún algo nublada me acerco hasta la puerta y de un zarpazo arranco de ahí la oración de la Magnífica y la pequeña cruz de palma trenzada, que queda en el suelo como un caballito de mar reseco. Ahora sé que son inútiles, que siempre lo fueron. Lo que sea que me haya querido alcanzar con su garra ha saltado la barrera, no ahora sino hace mucho, tal vez desde el principio. Lo que sea que me haya estado rondando me iba a encontrar de todas formas.

Dejo escapar una risa demente, una carcajada espasmódica que hace que los músculos de mi estómago se contraigan y que me duela la garganta. Es mi culpa, por no beber suficiente líquido, debo estarme deshidratando. Es mi culpa, por haber venido hasta aquí. Afuera ya está oscuro y mi risa continúa durante mucho tiempo, no sé cuánto. Me vuelvo a quedar dormida en el pasillo con la idea de que algo ha alcanzado aquí la proporción de las cosas etéreas, esas que no conocen frontera y que, por eso mismo, no conocen ni piedad ni temor. Las cosas que vuelan en la noche. Los resplandores del camino que nos reúnen con lo terrible. Despierto de madrugada y me arrastro hasta la cama, hasta la lechuza que escarba con las uñas entre las plumas del almohadón, ahí donde debía haber estado mi cabeza. No sé si de verdad el ave ha entrado en la casa o es solo mi imaginación.

12

Bajo a la cabecera, y procuro hacerlo muy temprano, antes de que amanezca. Eso me evitará el calor y, sobre todo, ese sol inclemente que a partir de las diez de la mañana cae a plomo sobre la tierra en la que, ayer lo constaté, no queda ya apenas resto alguno de la lluvia de los días previos. Además, en el camino quiero toparme con el menor número de gente posible, de preferencia con nadie. Pero de nada sirve mi precaución: en estos lugares, ya lo he dicho, la vida arranca temprano, y pese a que las primeras luces del día se alzan apenas detrás del cerro (o quizá precisamente por eso) unos metros más allá de la salida del complejo campestre me topo con un hombre que carga una talega de leña a la espalda. La trae amarrada en el pecho y con una cinta que le pende de la frente, como en esos dibujos de los cargadores prehispánicos. No se le ve sudoroso, sino al contrario, como si aquello en el fondo no le fatigara. Sube en sentido contrario al mío y al pasar a mi lado susurra algo que no entiendo, lo más probable es que no me hable a mí.

Más adelante, ya al pie de la cuesta, pero aún al borde del camino, me cruzo con un grupo de hombres que me lanzan de reojo miradas furtivas. Por fortuna están demasiado ocupados tratando de abrir o de rellenar una zanja (es difícil saberlo), y ninguno de ellos tiene ni tiempo ni ganas para ocuparse de mí más allá de la curiosidad del instante. Supongo que debo estar agradecida por esa indiferencia. De todas formas, mi apariencia ya no es la que tenía cuando llegué: ya no parezco en absoluto una mujer de la ciudad o, mejor dicho, lo parezco más que nunca, pero no en el buen sentido del término. Por la mañana he visto en el pedazo de espejo del baño las manchas oscuras en mi cara, culpa mía por no protegerme del sol. Es como si una gran mariposa nocturna se me hubiera posado allí y dejado sobre mi piel su sombra indeleble. Por lo demás, tengo el aspecto de una de esas vagabundas que uno encuentra por todas partes en las grandes urbes.

Debo verme tan mal que cuando llego a la gasolinera y pido hacer una llamada el dependiente, a quien supongo acostumbrado a tratar con camioneros, viajantes y hasta criminales de poca monta, me mira con desconfianza. Me indica la cabina con el teléfono al fondo, pero me solicita un depósito por anticipado. Ahora soy un despojo, un ser que se parece a tantos otros que erran por los purgatorios terrestres. Por las noches, siento que algo viene y me acecha, que me quito las piernas y vago por el campo. Que orino desnuda sobre la hierba mojada. Un saltamontes me esperaba esta mañana sobre la puerta de la cabaña. Era gordo, hinchado, de intenso color café, una variedad quizá emparentada con esos que por alguna razón llaman «cara de niño». Ocupaba el lugar de la cruz de palma, y al salir tuve el impulso de tocarle la cabecita con la mano, pero el insecto se alejó. Cuando abrí la puerta encontré sobre el vano no el acostumbrado pan que me dejan las mujeres, sino un puñado de pelo y de semillas. Los recogí y los contemplé un instante con azoro, casi con fascinación. Al final, entré al baño y los arrojé en el excusado. Los pelos se quedaron atorados en la loza por más que eché agua e intenté que la cañería se los tragara. En mi libreta anoté: *Pelos, semillas, copal, ocoxóchitl, zoapatl, capulín, hongos, excremento, uñas, saliva, sapos. Todas cosas que se usan en estos pueblos para hechizar. Lo caliente y lo frío. Una efigie a la que alguien le ha clavado en el corazón un alfiler. Los restos que dejamos al pasar por el mundo pueden ser siempre usados en nuestra contra.*

En casa de mi madre el teléfono suena y suena, pero nadie contesta. Imagino el silencio impasible de la sala de su casa, muy limpia siempre, las figuritas de porcelana china que se empeña en atesorar dentro de su vitrina impoluta de las cosas perfectas. Dejo un mensaje después del tono, algo que, espero, servirá para que ella no me busque. Llamo después a la facultad y pido que le pasen de mi parte un mensaje a mi supervisor: *Todo va bien, maestro, no hay novedad en la materia de las cosas conocidas.* Antes de marcharme tomo de los refrigeradores del fondo un cartón de huevos, un paquete de jamón y un pan de caja, lo suficiente para un par de días. Cuando pago, estoy tentada de decirle al dependiente que se meta en sus asuntos, pero me aguanto. No es el momento de tener ese tipo de confrontaciones, aún no desciende sobre mí la protección. Por menos que eso podría yo amanecer descuartizada en el fondo de una cañada, mi cabeza metida en una bolsa de plástico. Por menos que eso nunca volvería a saberse que existí.

Fuera de la gasolinera, a través de la ventana, el sol da ya oblicuo sobre las bombas y los autos que refulgen como espejos. Siento que debo darme prisa, que algo puede atraparme en el camino. Antes de salir alzo la mano y le muestro el dedo del medio al dependiente, pero él ya no me ve. Vuelvo despacio a las cabañas, arrastrando los pies como una anciana mendiga.

Allí cocino sin prisa, sabiendo que será el almuerzo más copioso que he tenido en días. La comida baja por mi garganta con dificultad, pero la acepto; debo estar fuerte para la caminata y para lo que vendrá después. Cuando termino dejo los platos encima de la encimera desconchada y me visto para subir al caserío. Por alguna razón me parece que, al menos para esto, preciso ropa limpia, no puedo subir ataviada con estos harapos. Salgo a mirar y, por fortuna, lo que lavé está casi seco, apenas un relente de humedad en la parte baja y en la pretina de los pantalones, nada por lo que me deba preocupar. Ahora que han caído las barreras todo será más fácil.

En el camino que va al caserío hay huellas que no había notado antes: van y vienen, aunque cuando me acerco a mirar de cerca constato que la mayoría corresponden a la suela de mis propias botas, que solo yo he pasado por aquí. Las mujeres del caserío, en cambio, parecen levitar, o puede que sus pies descalzos dejen marcas que la lluvia y el viento enseguida borran. A esto me dedicaré, pienso, a aprender cómo caminar sin tocar el piso. A flotar por las colinas.

Ya en el caserío, la papisa nota enseguida el cambio que se ha operado en mí. Lo veo en su rostro, de ordinario impasible, y hasta podría decirse que severo, pero en cuyos ojos hoy he distinguido por primera vez lo que me parece un auténtico brillo de aprobación. El resto de las mujeres me mira en silencio, como a la expectativa, una fila de cuerpos blancos en rostros blancos bajo un cielo blanco también. Me despojan de mis ropas, aunque eso ya me lo esperaba. Las dejo hacer sin protestar, aunque la súbita visión de mi cuerpo desnudo me hace retroceder un instante, como si lo siguiente que fueran a pedirme es que me lance al fuego de cabeza. Tardo unos instantes en reponerme, en acostumbrarme a esta piel mía que me cubre desde siempre, pero con la que no estoy habituada a andar libremente por el mundo. No sé qué hacer sin las máscaras que me ocultan. *Máscaras: algunos pueblos las usan para transferir al que se la pone las cualidades de un poder distinto. Máscaras: otros las coleccionan, solo Dios sabrá por qué.* A mí no me ponen ninguna y eso me alegra. No sé si podría yo tolerar ver el caserío a través de unos ojos que no sean los míos, ni tampoco creo que fuera capaz de soportar una máscara sobre mi rostro dado el calor que está haciendo aquí.

Una de las mujeres, que no es la papisa, se me acerca y me toca la cabeza, como si me bendijera, primero con el brazo y después con lo que parece una rama reseca de árbol. Me embadurna luego con una pasta rojiza que extrae de un pequeño cuenco de madera, utilizando, a modo de cuchara, los cuatro dedos de la mano. El ritual, todo ritual, requiere por parte del que lo practica y del que es el receptáculo un acto de purificación, un momento único e irrepetible que implica deshacerse de la piel de antaño para penetrar en una piel nueva y, en ese estado, emerger al mundo como un recién nacido, algo similar a la obligada transformación de la crisálida en imago. El ritual marca las pautas y las coordenadas del espacio liminal. *Liminal: lo que está en la frontera. El ritual permite que en ese espacio de frontera tenga lugar, otra vez, el proceso de la creación.*

Con ademanes y gestos las mujeres me señalan el cobertizo del fondo. Por fin, pues, se me mostrará el interior de eso que yo llamo el templo y por fin veré la verdad. La papisa me ha dado a entender que a cambio de descorrer la cortina esperan algo de mí, pero no me sorprendo; nada que valga la pena ha sido gratis jamás. Mi cuerpo me escuece, mi piel está siendo atacada por el sol y por los mosquitos, a los que no les importan ni la ceremonia ni la solemnidad; los insectos deben sentirse atraídos por el ungüento, y me posan encima sus largas patas sin ningún miedo ni pudor. La puerta de madera de la capilla chirría, como si no la hubieran abierto en mucho tiempo, aunque yo sé que no es así: otra de las cualidades del ritual es que las cosas se repitan, que lo que ya ocurrió antes se vuelva a producir. Antes de entrar echo una última mirada al caserío. Las casas parecen retroceder para luego volver a agruparse. Ante mis ojos la madera blanca de las puertas se comba y se pudre. Nada está quieto aquí. Todo es parte de un proceso que me supera.

El interior de la capilla está sombreado, y es solo a medida que me hundo en su interior que mis ojos se van acostumbrado a la penumbra amarillenta que allí reina. Las ventanas están tapiadas por dentro, eso no lo había notado antes; supongo que será para evitar que ojos no autorizados sean testigos de lo que ocurre aquí. Tal vez no ocurra nada. Tal vez sea solo la locura, la de ellas, la mía también. El olor es sofocante, crudo, me imagino que así deben oler los mataderos, aunque nunca he entrado a uno en realidad. Me recuerda también al olor ferroso y vagamente pútrido de las carnicerías en esos mercados a los que, de niña, de vez en cuando acompañé a mi madre. Lugares donde reinaba el bullicio, la sangre y las moscas. Los pollos colgando de los ganchos de hierro. Las pequeñas muertes planeadas siempre en beneficio de alguien más. Entonces, veo a la figura. O tal vez deba decir que la figura me ve a mí. Está pintada de blanco, es la enorme lechuza con cara de mujer. O tal vez no, tal vez sea lo contrario: una mujer con alas en lugar de brazos. No sé qué significa. No sé qué se espera que haga yo. Arrodillarme me parece inadecuado, y cuando me acerco me doy cuenta de que he hecho bien: en realidad no se trata más que de un cráneo de pájaro incrustado en una estaca, una imagen sencilla y tétrica a la vez. Lo que he tomado por alas no son más que trapos que alguien ha amarrado justo debajo de donde el palo ha entrado en el hueso de la criatura, hedionda y vacía de voluntad. Tengo la impresión de que ya la he visto antes, en la distancia, cuando las mujeres me miraban desde el monte.

El suelo por el que avanzo está cubierto de alfombras hechas a mano, todas cubiertas de intrincados diseños indistinguibles por el polvo que los cubre. En ellos reconozco, sin embargo, bulbos, hongos, pestañas, algo que no sé si son ojos abiertos o vaginas dentadas. Del techo cuelga ahora esa lechuza inmensa, la que ya había visto alguna vez. Deben de haberla traído para acá en ocasión de mi visita. La han movido para mí. Alguien ha empezado a cantar afuera, un sonido tan agudo que me provoca dolor en el tímpano. Reconozco el ritmo e inflexiones que le escuchara a Daniel, solo que en voces que no son la suya el efecto no es inocente sino grotesco y salvaje. Me llevo las manos a los oídos, pero no puedo evitar escucharlas de todas formas. En el fondo, ni siquiera necesito hacerlo: sé que lo que las voces quieren es que yo siga avanzando, que no me detenga, que me interne hasta el fondo de una vez.

Obedezco y, a medida que avanzo, tengo la impresión de que el interior de esta estancia no tiene fin: he entrado al intestino del mundo y este no tardará en expulsarme y ese proceso por fuerza será doloroso. El aire a mi alrededor se va rarificando y es ahora caluroso, húmedo, batido, salpicado de reverberaciones polimorfas, como si aquí dentro campearan las luciérnagas nadando en un insospechado verdor. Y el olor es aquí especialmente insoportable. Viene, sospecho, de lo que hay en el fondo, tendido sobre una cama de paja. Enjambres de moscas gordas como zánganos revolotean allí con sus alas tornasoladas, en medio de un zumbido exasperante. Solo cuando se apartan veo el trofeo que me ocultan: la cabeza de Daniel cercenada a la altura de eso que llaman la nuez de Adán, los ojos y la boca cosidos con hilo de cáñamo. Le han levantado y peinado el pelo para que le forme una especie de corona, crestas tiesas por obra de alguna sustancia pastosa, engrudo, clara de huevo tal vez. El casi blanco de su pelo contrasta con el tinte verdoso que ha cobrado ya su piel de pingajo podrido. Y, aun así, algo en su aspecto es luminoso y sereno; solo falta que de allí broten llamas, rayos, que irradie su propio calor. Imagino el tajo, la ablación rauda, el miedo certero. Una mosca negra ha llegado a sorber lo que queda de sangre reseca en la comisura de su labio y la miro caminar y toquetear con sus patas la carne hinchada en torno a las puntadas mal hechas. La miro alimentarse de lo que queda de Daniel.

Siento una arcada repentina y salgo corriendo de la estancia. Vomito apenas salgo, en la esquina exterior de la construcción, sosteniéndome en el muro con una mano temblorosa. De mi boca brotan gruesos hilos de baba renegrida mezclada con bilis y espumarajos color amarillo. En mi espalda encorvada navegan dedos y vuelan arañas. Ellas, las mujeres, me dejan ahí, sin tocarme, esperando en silencio y con paciencia de santas a que yo termine de vaciar en el piso el vórtice de mi terror contenido, aguardando a que la angustia que siento se torne poco a poco en aceptación o en otra cosa. A que olvide o asimile lo que acabo de ver. Se siguen escuchando aquellos cánticos, pero ahora me parece que vienen de lejos, de las entrañas del bosque malvado. No sé cuánto tiempo llevo allí. Pienso en otra mañana, de otro día, cuando el vientre me dolía igual que me duele hoy. Yo no quería a ese niño, digo, entre estertores y sollozos. No lo quería, pero eso no quiere decir que no me haya dolido su muerte. No sé de quién estoy hablando, me parece que confundo una cosa con otra.

Alguien me ayuda a vestirme cuando ya está oscureciendo. Me marcho del caserío en silencio, andando despacio bajo un cielo sin luna. Mi interior llora por el pobre muchacho, y por otras cosas que no puedo o no quiero definir. Más tarde entiendo que lo que le pasó a Daniel fue un castigo. Entiendo que tiene que ver conmigo y con lo que ocurrió. Entiendo, al mismo tiempo, que ellas me quieren y me necesitan, aunque no sé aún para qué. De lo contrario, no me habrían perdonado; no habrían permitido nunca que volviera a penetrar así en su imperio de luz. Me duele el cuerpo. Me duele el alma. Pese a ello, me quedo dormida mirando el cuadro de esa mujer cubierta de plumas que ahora sonríe. Sueño con Daniel. Con la cabeza de Daniel. Con el cuerpo de Daniel. Lo veo de pie al lado de un árbol reseco, él mismo hundido en la tierra, conectado por pies y tobillos al seno de esa realidad donde habitan los gusanos y las gallinitas ciegas, los minúsculos ácaros, las lombrices de tierra, rosadas, gordas y apartadas de la luz. En el sueño, la cabeza de Daniel cae sola. La cabeza decapitada de Daniel es una manzana madura. En el sueño, tiene los ojos abiertos y estos me miran fijamente y han cobrado el tono lechoso de los ojos de los muertos.

13

Es de noche de nuevo y me vuelve a despertar el aleteo de las lechuzas. Mueven las alas contra la ventana, caminan sobre la techumbre en declive. Con sus picos atacan las tejas, las junturas, los marcos de madera, el alero, todo a un ritmo de ardiente desesperación. Las escucho hasta que los sonidos que producen se confunden con el general camuflaje de la noche: el chirriar de los grillos, el ladrido de los perros lejanos, el zumbido de los insectos, el lejano quejido de una bomba de agua. El presentimiento de la carretera, que nunca me ha parecido tan distante o ajena. Por la mañana, es Josué el que aporrea la puerta. Reconozco claramente su voz, pero ni siquiera me muevo. Lo siento, más que lo veo, asomarse a las ventanas y, desde mi inmovilidad, lo escucho maldecir en voz alta por haber confiado en mí. Casi siento pena por él: nunca una tipa a la que uno ha conocido en un bar ha sido de fiar. Toca una última vez sobre el vidrio y sobre la puerta, sin éxito, y amenaza con volver con la policía, provisto esta vez de una copia de la llave. Si es preciso, agrega, echará la puerta abajo. Luego, tras sus largos pasos que se alejan de la cabaña oigo al fin el motor del auto como un ronroneo sutil que se pierde en la distancia.

El tiempo se me acaba, lo sé. Es un hecho irrefutable, uno que, al mismo tiempo, no me inquieta en exceso. De todas formas, ha llegado el momento de abandonar la seguridad de esta guarida, mi trabajo aquí ha llegado también a su fin. Además, se me ha dado otra oportunidad, ahora lo entiendo: he encontrado la libreta perdida. En ella, he podido leer el final de la crónica, he logrado tener un atisbo de lo que se avecina: *Nacerá entre la blancura, bajo su égida la hierba rebrotará. El dolor del vientre vacío se transformará en la reina. Cuando la reina nazca, el poblado brillará.* De alguna forma las cosas que antes me parecían embrolladas van cobrando sentido, aunque este exista solo para mí. Todo se ha dispuesto así, ahora y desde siempre. Falta un paso y ahora estoy dispuesta a darlo al fin.

El sol está ya en el cenit cuando me levanto y me pongo a juntar las libretas, las mías, que están desperdigadas por la cabaña y en las que he llevado de manera errática el registro de mis investigaciones, y esta otra, la que perdí y luego recuperé. Abandono la seguridad de la cabaña y afuera, en uno de los espacios para barbacoa, prendo a duras penas un fuego tímido que al principio se me resiste. Amontono el carbón, un poco más de yesca y pruebo de nuevo. Cuando consigo que prenda, arrojo una por una las libretas que he dejado sobre la hierba. No tardan en alzarse las llamas, amplias y luminosas, bien alimentadas ahora por el papel. Las dejo arder hasta que solo quedan cenizas y rescoldos. Luego, para no dejar traza alguna de mí misma en la cabaña, quito la ropa de cama y la tiró allí también, junto con todas mis vestimentas salvo la que traigo puesta. He decidido que a partir de ahora no las necesitaré.

La pira produce una columna de humo blancuzco, espeso, que pica en los ojos y se extiende lentamente sobre las cabañas y el borde del cerro. El vigilante, que ha debido ya a la fuerza darse cuenta de lo que ocurre, me hace señas desde lejos. Al ver que lo ignoro se acerca para decirme, esta vez a gritos, que está prohibido hacer fuegos así, que son un peligro, que las fogatas no permitidas atentan contra el entorno natural del bosque. Sigue llevando la cachucha roja pero ahora va vestido de uniforme, lo que le confiere cierta autoridad inamovible. Su camisa tiene una mancha oscura en medio, debe de hacer días que no se la quita. Mira con enfado allí donde los papeles y la tela ya se están apagando, decepcionado tal vez de haber tardado tanto en reaccionar y, con ello, de haber perdido la irrepetible oportunidad de servirse de aquel fuego a modo de pira en la que quemarme viva a mí también. Se marcha de vuelta a su cabina, balanceando su peso de un lado a otro y murmurando quejas y reproches. Se vuelve una sola vez para decirme que va a notificar esto a la administración, que hay cosas que no se pueden tolerar. Que tengo suerte de que no llame a la policía.

El resto del día me encierro en la cabaña a piedra y lodo, esperando que alguien venga a echarme, pero nada pasa. El colchón desnudo exhibe con orgullo sus gruesas manchas parduzcas; nunca han dejado de estar ahí pero ahora, liberadas de su camuflaje, parecieran haber florecido a su antojo. Entiendo que no se puede ocultar la verdad debajo de una sábana gastada; que no se puede tapar el sol con un dedo. Preparo deprisa un par de sándwiches que me como a regañadientes: el jamón está pegajoso, tiene un olor a pescado que me provoca náuseas. El resto de la tarde lo paso leyendo aquel cuento de Machen que me gusta tanto: *Hechicería y santidad —declaró Ambrose—: he ahí las únicas realidades. Cada una constituye un éxtasis que se distancia de la vida común y corriente.*

Los libros, claro, no han sufrido a mis manos la suerte de las libretas; no me he atrevido siquiera a intentar su destrucción. No me habría atrevido antes, menos ahora que siento a cabalidad que algo allí me habla de manera específica, que todo lo escrito antes ha sido escrito para mí. Me detengo varias veces en aquel pasaje de la mención a las flores que cantan una canción extraña, atenta al implícito horror que se encierra en la sola posibilidad de contemplar de primera mano lo antinatural, de ser testigo de lo que no debiera existir. Vuelvo a pensar en Daniel, en su cabeza cortada; cuanto más la pienso menos se parece a la de él. Cierro los ojos y, en cambio, no me cuesta ningún trabajo ver en el reverso de mis párpados cerrados a la gente blanca de Machen, a sus caritas asomadas al borde de la cuna del recién nacido, o en la distancia neblinosa que rodea a los cerros y a la cabaña.

Subo al caserío cuando ya el sol no es más que una bola glauca que se hunde en el horizonte. Nunca he subido tan tarde, quizá he esperado demasiado, algo de sol tal vez sea preciso para completar el ritual. Las mujeres, que ya me esperan, están paradas en círculo entre los hierbajos del fondo. Cada vez que vengo el aspecto del caserío me parece más decrépito, más dejado de la mano de Dios, pero nunca tanto como ahora. Así suele decir mi madre que ciertas cosas, lugares y personas están dejadas de la mano de Dios, impedidas de su misericordia. No quiero ni pensar lo que habría opinado de este sitio y de las cosas que han ocurrido aquí. La forma en que habría condenado lo que está aún por pasar.

Me quito la ropa sin que nadie me lo señale porque ellas han hecho lo mismo y siento que debo actuar por imitación. Sus cuerpos me decepcionan: no son bellos sino al contrario. ¿Por qué los había imaginado perfectos, ajenos al paso del tiempo, idealizados hasta la náusea? En torno a sus cabezas se extienden sus cabellos de jardín desprolijo, donde cada planta crece a su manera, pero sus pieles brillan anaranjadas bajo la luz del ocaso y eso las dota de cierto discreto esplendor, esa cualidad propia a lo que está de camino a alguna transmutación dichosa. Las sigo, descalza sobre la hierba, hacia lo que parece un sendero que surge desde detrás de las casas, apenas una tira de tierra que se interna en declive hacia el promontorio donde da inicio una parte del bosque que no he visitado jamás.

Avanzamos durante lo que me parecen horas, aunque tal vez esto sea una más de las muchas distorsiones de mi percepción, de mi forma de no saber cuánto ha pasado aquí ni por qué. Al fin, la papisa se detiene. El camino debería continuar entre los árboles frondosos, pero está cortado por un muro verde: una capa espesa e impenetrable de hojas y ramas que habría que desbrozar, tan densa que me parece intransitable. Eso no impide, sin embargo, que la papisa siga andando y que las otras la sigamos también. ¿Vamos a atravesar el monte? ¿Vamos a salir volando?, me escucho preguntar, pero nadie me responde. A mi derecha avanzan dos de las mujeres, a mi izquierda las demás. Formamos un triángulo que se desbanda y se estrecha a capricho del relieve del terreno. Los cerros se acercan y se alejan a medida que avanzamos a través de la maraña enrevesada de los arbustos, andando sobre montones de agujas de pino, una cama parda y velluda que debe de estar aquí desde hace milenios. Al fin, no sé cuánto tiempo o distancia más tarde, entramos en una especie de gruta o de cueva oculta entre los cerros. Yo no sabía que existían lugares así en esta zona. Pienso en narcotraficantes, en gente que aprovecha estos espacios para actividades que requieren esconderse del mundo y ser realizadas en secreto, al abrigo de las miradas. Cualquier cosa podría pasar aquí, cualquier cosa. Pero ellas, las mujeres, parecen no tener miedo y a su saber me atengo. Si algo va a pasar, nos pasará juntas. Si algo ocurre, ellas me protegerán.

Volvemos a salir a la luz, esta vez a una especie de valle que se extiende en semicírculo y desde el que se vislumbra, hacia la derecha, una profunda hondonada. El volcán aparece del otro lado, más cerca de lo que lo he visto nunca. Cuando digo que salimos a la luz es porque así lo percibo: deberíamos estar en la oscuridad, pero en lugar de eso brillamos, somos seres centelleantes en la espesura de la noche que cae. Más allá, donde el bosque vuelve a dar inicio en sentido contrario a aquel del que veníamos, en un agujero inmundo acodado a la roca está lo que hemos venido a visitar: es un nido, un inmundo reservorio lleno de huevos que están siendo incubados y de crías que aún no alcanzan la madurez que les permitirá volar. La gran lechuza, agazapada sobre sí misma como en un nudo voluminoso, me ha visto ya. Desde la distancia es, por tanto, solo una sombra, alargada, inmensa e impaciente a la vez. Ver una sombra, pienso, implica prever un actor, anticipar un movimiento, intuir la materia que la conforma y que nos confronta. Si tuviera mi cuaderno, trazaría allí un esbozo de lo que veo, intentaría darle concreción a esa imagen tan difusa y como sacada de un sueño febril. Lo único que sé con seguridad es que se trata de un ave, y que esa ave es, a la vez, una figura antropomorfa. Que es las dos cosas a la vez. La cosmovisión de muchas sociedades que llamamos tradicionales se estructura así, por oposición al pensamiento occidental, ese donde una cosa no puede ser a la vez ella misma y su contrario. Acercarse a la figura que tengo enfrente significa, me digo, aceptar su existencia con desparpajo, casi con inocencia; es admitir que una cosa pueda ser a la vez ella misma y todas las demás.

Al fondo han quedado ya el caserío, el pueblo y la cueva. Detrás de mí la cabaña, a la que no volveré. Algo palpita en la noche. Siento que los cerros son un cuerpo vivo, con su centro en algún sitio que intuyo cercano. Sé lo que hago aquí, para qué he venido. La sombra se transfigura en un animal con cuernos, y luego de vuelta en un ave: todo lo que vemos es una ilusión. La enorme lechuza avanza y yo avanzo también. Nos encontramos en el centro. Me busca y yo pienso que lo que sea que haya venido a mí surgió del bosque. Lo que sea que haya venido me tomó como se toma a una mujer. Lo que sea que haya surgido no tiene nombre ni sexo. Lo que sea que haya surgido se alimenta del poder que yo le di. ¿Qué se hace con un poder que no se ha pedido? ¿Qué se sacrifica y a quién? Bajo mis pies arde la hierba, arde el monte, arde mi cuerpo de mujer. Me tiendo boca arriba y mis pechos se llenan de leche amarga. Abro las piernas y dejo escapar un grito a medida que el ave me cubre y yo me parto en dos.

Cuando todo ha terminado me levanto y me sacudo de la espalda las rebabas de hierba que salen volando como paja que el viento arrastra. He sido impregnada de los años alados, del dolor con pico y plumas, dentro de mí se segmentará otro corazón. Lo que siento en este momento es un gradual apagamiento, el temblor de una construcción que se cae: la arquitectura del derrumbamiento. Y, aun así, caminamos de nuevo. Caminamos bajo la luz. Blanco desierto, brillo químico de cristal pulido. Seré la reina lechuza y daré a luz la oscuridad. Veo a través de los ojos de una hija nonata, veo a través de la mirada del niño que también perdí. Soy un camarón que flota desesperado en el vientre de su madre. Soy la que nunca fui.

La papisa alza la mano y, capaz de leer mis pensamientos, mueve la cabeza y me dice que no: lo que vendrá ahora será distinto, esta vez yo ganaré. Sé que he hecho lo correcto. Caminamos entre montes, subimos por donde nadie más ha subido. No sé cuánto tiempo llevamos caminando. Mis ojos están tan resecos que el interior de mis párpados parece hecho de lija o de cartón. El río en plena crecida corre abajo, pero nosotras no nos mojamos en él. Ha prendido la vida en mi interior de mucosas calientes, puedo sentir el movimiento que en mí bulle y se hincha. Puedo oír que ellas me llaman por mi nombre: *Eva. Eva.* Las sombras se ciernen lentas sobre el valle dormido que huele a azufre, sobre los cerros que incuban la simiente del fruto por nacer. Lo veo todo desde arriba, como en un sueño febril del que me deslizo a gatas, arrastrándome como por el borde del muro de un pozo profundo. Desciendo en picado sobre maizales, sobre fosas abiertas, sobre huesos de desconocidos. El sol sale y se vuelve a meter, y así una y otra y otra vez. Mis alas cobran proporciones inusitadas, de Buraq que baja a los infiernos. El sol, que antes me deslumbraba, ahora me acoge en su natural claridad. En algún punto, abro la boca para gritar, pero de mi garganta ningún grito escapa. Mi glotis está sellada, soy la quimera que ha acogido al dragón. Soy la que parirá al monstruo. Soy la lanza y soy la sangre. Todo a mi alrededor es presa de un movimiento letal, de lucha encarnizada. Caminamos, caminamos, no paramos de caminar. Amanece, y me dejo caer al fin, exhausta y desnuda a los pies del volcán.

14

Cuando abro los ojos estoy en una cama, en un cuarto que no reconozco. Las formas, al principio nebulosas, van cobrando poco a poco concreción. De la botella que cuelga del gancho baja hasta mi brazo desnudo un tubo por el que fluye a cuentagotas un líquido transparente. Por la ventana, que da a la calle, entran los ruidos de los marchantes, de los coches, de los autobuses que circulan lentamente por lo que supongo será una avenida céntrica. Es el bullicio, la algarabía que me indica que estoy de vuelta en la ciudad. Sobre la mesita, al lado de mi cama, hay un florero con una rosa marchita, un reloj y un libro cerrado. El reloj marca las once y media. El libro, pienso, será la Biblia tal vez, pero no lo alcanzo a distinguir. Siento la lengua pastosa, la cabeza pesada, en los músculos una especie de ardor y de pesadez. Al ver que estoy consciente la enfermera me tranquiliza, me dice que no pasa nada, que todavía estoy bajo el efecto de la conmoción. Pronuncia con cuidado las palabras y, como si con ello se legitimara el resto de los eventos ocurridos o por venir, me da el nombre de una clínica de la que nunca he oído hablar pero que suena prestigiosa, un lugar en el que con toda seguridad intentarán volver a armarme, un espacio higienizado donde todo lo que se ha dispersado en mí y de mí será obligado a encajar.

¿Cuánto tiempo llevo aquí?, pregunto con una voz que no parece la mía, pero la enfermera me dice que espere, que alguien va a venir a verme en un momento y me lo explicará todo con detalle, no hay necesidad de alterarse. Huele a desinfectante. A alcohol. De lejos, me llega el ruido de un noticiero, la voz monótona de un presentador que da el parte del clima, todo seguido de un comercial con una tonadilla rítmica y pegajosa que me parece recordar de antes, no de antes de despertar aquí sino de hace muchos años, de cuando niña, tal vez. Afuera, los bocinazos de algún conductor impaciente se abren camino en un embotellamiento que sigue y sigue y que parece no tener final. Por la ventana veo pasar un racimo de nubes espesas, compactas, estratos o cirros que se mueven a lo lejos, de izquierda a derecha, primero muy lento y después rápidamente, hasta salir al fin de mi campo visual. Si va a llover, no será en esta zona. Si algo va a caer del cielo, no será en este lugar.

Por la puerta entra poco después mi madre. Parece haber envejecido diez años y el color de la ropa que lleva, de un anaranjado chillón, no le sienta nada bien. Se ha puesto colorete y sus labios apretados son una tira de sangre reseca. Miro sus manos, dos garras que aprietan con fuerza su bolso de mano, como si temiera que se lo arrebatasen. Con ella viene un médico de cabello entrecano, lentes de intelectual, bata impecable. Entre los dos me dicen, alternando turnos como Tweedledee y Tweedledum, que estoy deshidratada pero que todo va a estar bien. Que me encontraron hace dos semanas en el camino entre la cabaña que renté y una zona apartada del cerro, todo ello en las inmediaciones del volcán. Que es un milagro que no haya terminado violada matada desmembrada metida en una bolsa de plástico o convertida en un montón de huesos que se secan al sol. Que cuántas otras, tantísimas, incontables mujeres, no han tenido la suerte que tuve yo.

Hay señales de que estuve comiendo hierba del monte durante días, y es sorprendente que no haya enfermado o muerto de una intoxicación. Me pregunto cuántas muertes puede tener una persona. Si uno puede, en la muerte, volver siempre a empezar. Si es posible morir y morir de nuevo, hasta que no quede ningún suplicio por experimentar. A mi lado, dice mi madre, había también otras cosas: plantas alucinógenas, al parecer. Y el estado de la cabaña es lamentable. Me ensañé, en particular, con cierto cuadro del que se desconoce aún tanto el valor del original como el valor de los daños. Ni hablar de la ropa quemada, o del colchón, que encontraron hecho jirones en pleno comedor. Tampoco respeté nada más. Resulta especialmente escandaloso que el sitio esté repleto de excrementos de ave, de hongos, de manchas de humedad. Pareciera que allí hubiera vivido un animal salvaje y no una persona, espeta mi madre, mucho menos una señorita como tú.

Los ojos de mi madre echan fuego, pero cuando le devuelvo la mirada su expresión denota más bien un miedo remoto. Seguro que teme otro episodio, que teme que yo pierda de nuevo el control. Que teme que me saque los ojos con las uñas. Que no soportaría que le arrancase el corazón en público. Que hay cosas que solo se hacen de puertas adentro. Tranquila, madre, quiero decirle. Tranquila, esta vez no ocurrirá. Quiero que sepa que he controlado las circunstancias, que las cosas que pasaron ya no se repetirán. Me pregunto si habrán encontrado el caserío, o la cabeza de Daniel. Me pregunto si está seguro el santuario. *Santuario: se dice del espacio que ha adquirido un carácter sagrado por haberse manifestado en ese sitio algo divino.* Desearía tener mi libreta cerca, para poder anotar. Me pregunto qué es lo contrario de lo divino. Si alguien como yo está facultado, de todas formas, para clasificar. No estoy segura de que lo que ocurrió allí arriba entre en esa categoría, pero qué más da.

Al mismo tiempo, otras cuestiones más apremiantes me inquietan: ¿Cuánto...?, pregunto mientras hago el esfuerzo de apoyarme sobre los codos para erguirme en la cama. El doctor me interrumpe, es obvio que no quiere que me fatigue de más: Te trajeron enseguida, Eva. En muy mal estado, eso es verdad. Es normal que hayas estado inconsciente tantos días, y te hará bien descansar. Pronto, lo antes posible, reiniciaremos la medicación. Será mejor de esa manera. Veo que el doctor no me ha entendido. No es eso lo que quiero saber. En el pasillo retumba el tictac ansioso de un reloj. La musiquilla que hace un rato salía del televisor se ha terminado. Solo queda el silencio inmóvil, propio de un hospital o de un camposanto. Podría oírse parpadear a una mosca.

¿Y lo otro...?, insisto, bajando la mirada hacia mi vientre, aún oculto bajo la sábana. Al médico se le iluminan los ojos y al responder parece que evita mirarme: Tres semanas, Eva. Tal vez un poco menos. No pregunto si el embrión vive; sé de sobra que así es. Eva, si quisieras hablar de eso... Lo hará, señora, pero todo a su tiempo, no se la debe presionar. Pero mi madre no es mujer que atienda a razones, no es mujer que sepa esperar: Eva, por Dios, si tan solo nos contaras lo qué pasó... ¿Fue el vigilante? Niña, por una vez di la verdad. ¿Fue ese tal Josué? No nos obligues a hacer indagaciones por nuestro lado. Eva, pero ¿qué estabas pensando? Eva, ¿no te bastó acaso con lo de aquella ocasión? Si te hubieras quedado en casa esto no habría pasado, bien que te lo advertí. Eva, estás echando tu vida a la basura, ay, Eva, si me hubieras escuchado...

Shhh, la interrumpo, a ella, al médico, a la enfermera. Shhh, cállense todos de una buena vez. No quiero oírlos, ni ahora, ni nunca. Que piensen lo que quieran. Que sus cabezas estallen. Que llamen a quien quieran llamar. Que la tierra se abra y se los trague de un bocado. Que me dejen en paz. Mi madre baja la vista, su nuca cargada de resentimiento, de vergüenza ajena y de ira, sus manos crispadas en una acusación que elijo ignorar. El médico prepara una jeringa y da instrucciones. La enfermera asiente mientras la gota del medicamento brilla en la punta de la aguja, agua de una extraña pila bautismal. No dañará a la criatura, me tranquiliza la enfermera, que me parece una mujer amable y solícita, alguien en quien tal vez, a su tiempo, se podrá confiar. Su sonrisa, en todo caso, denota eficiencia. No dañará a la criatura, me repite. La criatura, pienso. Nunca un término había venido mejor.

Me llevo las manos al vientre: sé que es pronto pero ya siento que se mueve, ya siento que lo veo llegar. No tiene sentido oponer resistencia ahora. A medida que me voy relajando inunda la habitación un olor como a campo, que sube y repta por las sábanas blancas, inmaculadas, por encima del horror de lo virginal, que se aleja y da paso a alguna nueva oscuridad. Siento el poder de lo fecundado sobre aquello que resta por fecundar. Faltan meses, es cierto; la vida se toma su tiempo, pero siempre se abre paso al final. Algo palpita, algo se mueve aquí dentro. Algo que no debería existir irá encontrando a través de mí, poco a poco, su lugar.

Porque hoy es el primer día del mundo que empieza. Hoy es el primer día de todo lo que vendrá. Cierro los ojos y escucho a lo lejos los cantos. Abrazo el fulgor. Me hinco a su paso. Al fin sé lo que soy.

La blancura es primero un punto en el muro y luego una mancha que se extiende hasta convertirse en un océano sin fin. Y la blancura me bebe, me fundo con ella, nada puede evitar ya mi ascensión. El fulgor acaricia la cama, toca mis piernas, va llenando poco a poco la estancia de la clínica, que se hincha y reverbera, que es una tea. Tengo la piel de gallina, me da comezón, es natural. Una ola intensa brota de mis entrañas y me devuelve a la casa y al caserío y me devuelve a la vida, que ha de crecer y brotar de mí como de un manantial. Floto desnuda entre la luz y la sombra, entre la sombra y la luz. ¿No son ambas las dos caras de la misma moneda? ¿No son ambas cosas el principio y la conclusión? Lo que llevo dentro es mitad ave, mitad bruja, pero enteramente yo. Ante los ojos asombrados de mi madre, del médico y de la enfermera me pongo de pie, me arranco el suero, me quito la bata, extiendo los brazos, soy libre al fin. Es mediodía. Por la ventana veo a las lechuzas que afuera, enormes, majestuosas, me esperan. Cantan, cantan, con voces humanas, cantan. Tienen las alas expandidas bajo la luminosidad excelsa, las garras abiertas, entornados los ojos amarillos, el pico inclinado en actitud de reverencia.

ESTE LIBRO SE ESCRIBIÓ CON EL APOYO DE UNA BECA
DEL FONDO NACIONAL PARA LA CULTURA Y LAS ARTES
A TRAVÉS DEL SISTEMA NACIONAL DE CREADORES DE ARTE.

· ALIOS · VIDI ·
· VENTOS · ALIASQVE ·
· PROCELLAS ·